TROIS : LE PÉRIL

SOUS LA MER

GORDON KORMAN

TROIS : LE PÉRIL

SOUS LA MER

Texte français de Claude Cossette

Éditions
SCHOLASTIC

Pour Chris et Kyle Kovalik

Catalogage avant publication de la Bibliothèque nationale du Canada

Korman, Gordon
[Dive. Français]
Sous la mer / Gordon Korman ; texte français de Claude Cossette.
Traduction de: Dive.
Sommaire complet: v. 1. L'épave – v. 2. Les profondeurs –
v. 3. Le péril.
ISBN 0-439-96648-5 (v. 1).–ISBN 0-439-96649-3 (v. 2).–
ISBN 0-439-96650-7 (v. 3)
I. Cossette, Claude II. Titre. III. Titre: Dive. Français.
PS8571.O78D4814 2004   jC813'.54   C2003-907279-7

Édition publiée par les Éditions Scholastic,
175 Hillmount Road, Markham (Ontario) L6C 1Z7.

5 4 3 2 1   Imprimé au Canada   04 05 06 07

7 septembre 1665

La vague noire s'enroule très haut au-dessus du Griffin et vient s'écraser sur le bateau en rugissant comme une bête sauvage. Des tonnes d'eau déferlent sur le pont. Sous l'impact, la proue s'enfonce, tandis que la poupe s'élève avec une violence tellement soudaine que des hommes sont projetés du bateau et disparaissent dans la mer en courroux. Telle est la nature de la terrible tempête qui secoue la flotte de corsaires de Sa Majesté, à l'automne 1665.

Quand le Griffin se redresse, le jeune Samuel Higgins est toujours à son bord. Mais c'est seulement parce qu'il a été attaché à une cloison par York, le barbier et chirurgien du bateau. Le capitaine James Blade a ordonné à York de veiller sur son mousse âgé de treize ans. Le barbier prend sa responsabilité au sérieux, car les marins qui contrarient le cruel maître du Griffin sentent souvent la morsure de son fouet au manche en os.

Les voiles se sont affalées, les mâts sont dénudés et le capitaine lui-même tient la barre. Il dirige son vaisseau tout droit dans les vents en hurlant des injures à la tempête.

— Tu m'arrêteras pas, morbleu! Le Griffin peut naviguer à ras d'eau avec son ventre rempli d'or espagnol! Aucune tempête va changer ça!

Un craquement, aussi fort qu'un coup de canon, se

SOUS LA MER

fait entendre, puis le mât d'artimon se brise en deux. Trente mètres dans les airs, le sommet du mât, épais comme un chêne centenaire, plonge vers le pont.

Samuel essaie de courir, mais la corde qui lui a évité d'être projeté par-dessus bord l'empêche maintenant de prendre la fuite. Il est coincé dans la trajectoire de centaines de kilos de bois qui tombent vers lui. Un cri s'échappe de sa gorge, mais il se fond dans le rugissement des vents qui soufflent sans relâche.

Dans sa chute accélérée, le mât heurte l'enchevêtrement d'enfléchures et de gréements, et arrête sa course destructrice à deux doigts de la tête de Samuel.

Le Chanceux. C'est le surnom que l'équipage lui a donné.

Mais il n'a aucune chance de s'en sortir si le **Griffin** *sombre sous les assauts de la nature en colère.*

CHAPITRE UN

Star Ling se réveille en sursaut et fixe des yeux un décor qu'elle ne connaît pas. La pièce d'un blanc éclatant et sans aucune décoration contient un lit – avec elle dedans – et une chaise – vide. Une odeur d'antiseptique flotte dans l'air.

Un hôpital?

Sentant un picotement sur sa main, elle en cherche la cause. Elle remarque que sa main porte un bandage et qu'un tube sort du ruban qui le tient en place. Ses yeux suivent le tube et remontent jusqu'à un sac en plastique rempli d'un fluide transparent, qui pend d'une potence pour intraveineuse, à côté du lit. Elle peut aussi sentir l'oxygène pur qui lui est administré par un tube nasal.

Est-ce que je suis malade?

Un cri de joie lui parvient du corridor à l'extérieur.

— Elle est réveillée!

Bobby Kaczinski, Dante Lewis et Adriana Ballantyne, les partenaires de plongée de Star, se précipitent dans la chambre. La vue de ces visages familiers déclenche en elle une avalanche de souvenirs.

Leur stage d'été à l'Institut océanographique Poséidon a mené les quatre adolescents au site d'une épave du XVIIᵉ siècle, au large de Saint-Luc, une île des

4

Caraïbes. Quand leur découverte les a conduits vers une deuxième épave dans des eaux beaucoup plus profondes, ils sont allés l'examiner à bord de l'*Octopode*, le sous-marin de recherche de l'institut.

Star s'en souvient. Puis... il y a eu l'accident. Elle ferme les yeux avec force pour empêcher les larmes de couler et pose la question pleine d'espoir, à laquelle elle connaît déjà la réponse :

— Est-ce que j'ai rêvé? Le capitaine?

— C'était pas un rêve, confirme Kaz tristement.

Le capitaine Braden Vanover était leur ami et leur mentor. Quand tous les autres à Poséidon traitaient les stagiaires comme des bagages indésirables, il les a défendus et les a pris sous son aile. Il était aux commandes de l'*Octopode* quand le submersible est tombé en panne. C'est uniquement grâce à ses compétences qu'ils ont tous survécu.

— Est-ce qu'on l'a tué? gémit Star.

— C'est ce que je me demande mille fois par heure, répond Adriana d'une voix brisée. Et j'ai toujours pas de réponse.

— C'est ma faute, dit Dante, atterré. C'est moi qui ai trouvé la première épave, et ensuite, la piste de débris qui menait à l'autre.

Dante, qui est daltonien, a des yeux anormalement perçants. Il voit seulement le noir, le blanc et des nuances de gris, mais presque rien ne lui échappe.

— Tu te flattes trop, Dante, lui lance Star d'une voix faible, mais d'un ton qui lui est tout à fait typique. T'es pas si important.

Il baisse les yeux, visiblement gêné.

— Je suis content de te revoir, marmonne-t-il. Ils avaient dit que tu t'en sortirais peut-être pas. Et après ce qui est arrivé au capitaine...

Star revoit le corps du capitaine Vanover, coulant lentement. Elle ne savait pas, alors, qu'il était déjà mort. Ses efforts pour le sauver l'ont fait descendre trop profondément, pendant trop longtemps. Une remontée en toute urgence a occasionné le mal de décompression – les bends –, le plus dévastateur de tous les dangers en plongée.

Star ne se rappelle pas ce qui est arrivé ensuite.

— Où suis-je? demande-t-elle.

— Tiens-toi bien, lui conseille Adriana. Tu te trouves à environ soixante étages au-dessus de la mer, dans l'infirmerie de la plate-forme pétrolière principale. Ils t'ont emmenée en hélicoptère dans une chambre de décompression.

— Eh bien, ça a marché, dit Star. Croyez-le ou non, je me sens pas mal du tout. Sauf que j'ai vraiment besoin d'aller à la toilette!

Star glisse ses jambes sur le côté du lit et pose les pieds par terre. La pièce commence aussitôt à tourner, et la jeune fille s'étale à plat ventre sur le plancher.

Adriana se met à crier assez fort pour réveiller les morts.

— Infirmière!

En quelques instants, plusieurs personnes en sarrau blanc arrivent au pas de course.

Star s'assoit. Terrifiée, elle écarquille les yeux.

— Je peux pas marcher!

— Ah, tu es réveillée! lance le médecin de garde, qui est le dernier à arriver.

Deux préposés soulèvent Star et la déposent sur le lit.

— Docteur, qu'est-ce qui m'arrive? s'écrie-t-elle. Mes jambes fonctionnent pas!

— En fait tes jambes n'ont rien, la rassure-t-il. C'est ton cerveau qui pose un problème.

— Quoi? s'exclame Star, catastrophée.

Le médecin lui explique que le cerveau contrôle le corps en envoyant des signaux dans les voies neurales. Quand une personne a le mal des caissons, son corps est envahi par de minuscules bulles d'azote gazeux qui bloquent certaines des voies.

— Ton cerveau va tenter d'en développer de nouvelles, conclut-il. Chez certains patients, c'est plus difficile que chez d'autres.

— Qu'est-ce que vous voulez dire? demande Kaz avec nervosité. Elle va remarcher, non?

— Pour le moment, c'est impossible à dire, réplique le médecin. Ça dépend de la personne et de la gravité des dommages neurologiques.

— Mais je souffre de paralysie cérébrale! lâche Star. Je boite déjà!

Le médecin cligne des yeux. Il n'était pas de garde au moment où Star a été traitée.

— Et tu es ici pour participer à un stage de plongée?

— Elle est la meilleure plongeuse ici! lance Adriana. Je veux dire, elle l'était...

Elle s'interrompt. Le médecin poursuit, en tenant compte de ce qu'il vient d'apprendre :

— Ça peut compliquer les choses, admet-il. Par contre, il se peut que la ténacité qui t'a permis de devenir plongeuse malgré ton état, t'aide à te rétablir. Mais ta carrière de plongeuse est terminée. Tu comprends ça?

Plus de plongée! En ce moment, ça ne semble pas si important, quand on se rappelle que le capitaine Vanover est mort et que son propre avenir est incertain. Mais la plongée a toujours été plus qu'un passe-temps pour Star Ling. Une fois dans l'eau, elle n'a plus de handicap. Sans possibilité de plonger, elle ne sera rien de plus que la fille qui boite.

Arrête! s'ordonne-t-elle. *Sois heureuse. Au moins, tu es vivante! Tu aurais pu mourir comme le capitaine...*

— Et maintenant, dit le médecin aux trois visiteurs, c'est le temps de laisser votre amie se reposer.

Abattus, Kaz, Dante et Adriana se dirigent vers la porte.

— On sera à côté, dit Adriana. Appelle-nous si...

— En fait, interrompt le médecin, je crois que monsieur Gallagher veut vous voir à l'institut Poséidon.

— Ça serait bien la première fois, lâche Kaz avec amertume.

Dans le corridor éclairé au néon, Adriana laisse échapper un long soupir.

— Wow! s'exclame-t-elle.

— Elle va remarcher, promet Kaz qui essaie de se convaincre autant que de convaincre les autres. Star est tenace. Je parie que c'est le fait qu'elle peut plus faire de plongée qui la dérange le plus.

— Plus de plongée, répète Dante. Je veux écrire mon nom sur cette liste-là. Je plongerai plus jamais. Peut-être que je prendrai même plus de douche!

— Comme si Poséidon allait nous laisser plonger, grogne Kaz. Qu'est-ce que vous pensez que Gallagher veut faire de nous? Il veut nous mettre à la porte, c'est sûr.

— On devrait partir de toute façon, marmonne Dante. Leur épargner le trouble de nous mettre dehors.

— J'ai nulle part où aller, dit Adriana d'une voix ténue. Mes parents font une tournée jet-set autour de la mer Noire et notre maison est fermée pour l'été.

Kaz serre la mâchoire.

— Je pars pas tant qu'on m'y obligera pas. Je veux plus le trésor, mais je vais certainement pas laisser Cutter le prendre. Si son équipe le remonte, vous pouvez être certains que je vais tout raconter à chaque journal et station de télévision, de la Martinique à la planète Mars!

Officiellement, Tad Cutter, du bureau central de Poséidon à San Diego, est le scientifique qui s'occupe du stage des adolescents. Mais en réalité, Cutter et ses deux partenaires sont des chasseurs de trésor. Ils ont fait du programme de stage un paravent pour leur chasse à l'épave du galion espagnol, le *Nuestra Señora de la Luz*.

— Je veux pas le trésor non plus, jette Dante. En fait... je le veux un peu. Mais ça va me tuer si Cutter le trouve.

— Gallagher se prend pour un génie, poursuit Adriana avec colère, mais il est trop stupide pour s'apercevoir qu'il a une équipe de chasseurs de trésor en plein sous le nez. Et c'est lui qui va prendre des décisions sur nos vies?

— C'est un vrai idiot, approuve Kaz d'un air lugubre. C'est ridicule de perdre notre temps à parler de lui. Qui sait ce qui se passe dans son tout petit cerveau?

CHAPITRE DEUX

Geoffrey Gallagher s'approche du miroir de son bureau et coupe un poil disgracieux de son favori gauche. À titre de vedette du documentaire vidéo sur Poséidon-Saint-Luc, il se doit de paraître sous son meilleur jour. Jacques Cousteau était peut-être un génie, mais il était beaucoup trop petit pour l'écran. Sans parler de ses tuques! Geoffrey Gallagher va donner un nouveau visage à l'océanographie.

Il se retourne et regarde les trois Californiens assis sur son canapé : Tad Cutter, Marina Kappas et Chris Reardon de Poséidon-San Diego.

— Eh bien, Tad, qu'est-ce qu'on fait maintenant? demande le directeur. On renvoie les jeunes chez eux, et ton équipe et toi retournez en Californie?

Cutter a l'air surpris.

— Bien sûr que non!

Si les stagiaires s'en vont, il n'aura plus d'excuse pour rester dans les Caraïbes et chercher le trésor.

— C'était un accident, Geoffrey, ajoute-t-il.

— Tu dis ça comme si quelqu'un avait échappé un plateau à la cantine! s'exclame Gallagher, irrité. Un homme est mort, et une adolescente a failli perdre la vie et pourrait bien ne plus jamais marcher. Sans compter qu'un appareil valant 18 millions de dollars s'est écrasé au fond de la mer! Ce n'est pas un accident, c'est une catastrophe!

Marina prend la parole.

— Personne ici ne cherche à minimiser l'accident. Mais pourquoi pénaliser les stagiaires? Tu ne les connais pas aussi bien que nous. Ce sont des jeunes très bien.

Gallagher se rend compte qu'il est en train de hocher la tête. Ce n'est pas qu'il soit d'accord avec Marina, mais c'est une femme d'une grande beauté et il a de la difficulté à se concentrer quand elle est là.

— S'il faut trouver un responsable dans tout ça, poursuit Reardon, c'est Braden Vanover. Il ne méritait pas de mourir pour ça, mais... pensez-y! Qu'est-ce qu'il avait dans la tête?

— Je suis d'accord, concède Gallagher. Et justement, je me demande où vous étiez quand tout ça est arrivé? C'est vous qui étiez responsables des jeunes.

— Je ne voulais pas en faire tout un plat, admet Cutter, mais Braden a, pour ainsi dire, pris le contrôle du stage. Voyons, Geoffrey. Si t'étais un ado, qu'est-ce que tu préférerais – remorquer un poisson sonar sur des centaines de kilomètres carrés de récif ou faire de l'exploration sous-marine à bord d'un submersible de haute technologie?

C'est un pur mensonge. Le capitaine Vanover s'est intéressé aux quatre stagiaires seulement quand il a remarqué que Cutter et ses collègues les ignoraient totalement.

Mais Gallagher ne sait rien de tout ça.

— Et les trois qui sont en santé, ils veulent toujours plonger? demande-t-il.

— Peut-être dans quelques jours, estime Marina. Mais même si tout ce qu'ils veulent, c'est de flâner sur la plage et pêcher de temps en temps, sois gentil, laisse-les faire. Ils ont été très éprouvés.

— Tu as raison, dit Gallagher en hochant la tête. De toute façon, si on les retourne chez eux, la jeune Ling sera toute seule ici. Ce serait un cauchemar côté relations publiques si l'un deux parlait à la presse. Mieux vaut les laisser faire ce qu'ils veulent. J'ai envoyé quelqu'un les chercher aujourd'hui, ajoute-t-il d'un air contrarié, mais ils ne sont pas venus. Ils ne voulaient pas quitter leur amie.

Un coup retentit à la porte, puis Menasce Gérard fait son entrée.

— Salut, l'Anglais! lance Cutter.

Personne n'a l'air moins anglais que l'Anglais, un guide de plongée, natif de l'île, qui mesure près de deux mètres. On l'a surnommé ainsi parce que la rumeur veut que sa famille descende d'un marin anglais, qui aurait survécu à un naufrage, des centaines d'années plus tôt. Il est un plongeur expérimenté, travaillant pour les plates-formes pétrolières, au large de l'île. Il a aussi, à l'occasion, travaillé pour Poséidon et, plus précisément, pour Braden Vanover. L'Anglais et le capitaine étaient de grands amis.

Ignorant Cutter et son équipe, il s'adresse au directeur.

— Ça fait trente minutes qu'on est revenus, annoncet-il d'une voix exténuée. On n'a pas encore trouvé le corps.

Marina prend la parole.

— Je suis vraiment désolée, l'Anglais. Je sais que Braden et toi étiez très proches.

Le guide la fait taire d'un regard maussade. Il connaît la vraie nature du travail de Cutter et n'a que du mépris pour les chasseurs de trésor.

— Demain, je retourne plonger, continue-t-il, s'adressant toujours à Gallagher. Après... à quoi bon? finit-il en haussant les épaules.

— On prie tous pour que tu le trouves, dit Gallagher avec compassion.

— C'est difficile, explique l'Anglais. L'eau est très profonde, il faut beaucoup de temps pour la décompression et il en reste peu pour chercher. J'aimerais que vous me donniez la permission d'utiliser l'Homme de fer. Avec ça, je pourrais chercher le corps jusqu'à ce que je le trouve.

L'Homme de fer est le surnom donné au costume de plongée à pression intérieure d'une atmosphère, qui appartient à l'institut. La combinaison rigide, extrêmement évoluée, maintient la pression de surface, quelle que soit la profondeur. Un plongeur peut descendre aussi profondément qu'il le veut et rester aussi longtemps qu'il le veut. Physiquement parlant, c'est comme s'il ne quittait jamais la surface.

— Je suis désolé, l'Anglais, dit le directeur avec sérieux, mais l'Homme de fer est un élément important de notre travail à l'institut. Les scientifiques le réservent des mois à l'avance. Je suis obligé de refuser.

Le colosse le foudroie du regard.

— Alors, je crois que tu ne pries pas aussi fort que tu le dis.

CHAPITRE TROIS

Star enlève ses couvertures d'un coup et glisse ses jambes sur le côté du matelas. Elle arrête quelques instants car son corps s'est couvert de sueur. Elle a connu des moments très difficiles – plusieurs d'entre eux, ici même, à Saint-Luc – mais elle ne se rappelle pas avoir eu aussi peur qu'en ce moment. Elle est tout simplement terrifiée à l'idée de poser les pieds par terre.

Les paroles du médecin lui reviennent à la mémoire : *Il n'y a pas de thérapie pour ton état. Tes jambes n'ont rien. Le problème est dans ton cerveau. C'est à toi de faire ce qu'il faut pour marcher de nouveau.*

Tenant fermement le côté de lit avec sa main gauche, elle bascule et réussit à conserver son équilibre en s'agrippant désespérément à la table de chevet. Ses pieds touchent le sol. Le contact lui semble normal, familier.

Jusqu'ici, tout va bien.

Elle lâche prise… et s'écroule. Ses jambes cèdent, mais elle réussit à amortir sa chute en ouvrant les bras, juste à temps.

Une seconde plus tard, elle entend la voix excitée de Dante, qui se tient dans l'embrasure de la porte.

— Je pense qu'elle va mieux. Elle fait des pompes!

— Dis-moi que t'es pas aussi stupide que tes

paroles le laissent supposer, implore Star en cherchant sa respiration.

Dante et Adriana la soulèvent de terre et l'aident à regagner son lit.

— Toujours rien? demande Adriana d'une voix compatissante.

Star fait une grimace de dégoût.

— Je suis chanceuse : j'aurais pu me casser les deux poignets en tombant.

Puis, apercevant le sac marin que Dante porte en bandoulière, elle lance :

— Eh, merci! Vous avez apporté mes choses.

— Pas seulement ça, ajoute Adriana en souriant à pleines dents.

Elle fait glisser la fermeture d'une poche et en sort un sac en papier tout graisseux. Elle en tire un sandwich dégoulinant, dont le pain a déjà été croustillant.

— Il est un peu détrempé, dit-elle pour s'excuser. On a dû attendre plus d'une heure avant que la vedette motorisée nous emmène à la plate-forme.

Les yeux de Star brillent.

— Un hamburger à la conque! Vous êtes super! La nourriture ici, sur la plate-forme, est à peine plus mangeable que du poison. Pas étonnant que l'Anglais soit tout le temps grincheux. Il prend probablement tous ses repas ici.

Elle attaque le sandwich avec avidité, tout en fourrageant dans son sac avec sa main libre.

— Mon journal de plongée! s'exclame-t-elle en brandissant un journal écorné.

Aussitôt, son visage s'allonge.

— Mais... ça, c'est de l'histoire ancienne.

Elle secoue le sac et en sort quelques vêtements, un sac de toilette, un baladeur et une pile de magazines de plongée.

Un objet d'une blancheur d'ivoire, d'environ trente centimètres de long, tombe à côté d'elle, sur la couverture.

— Hé! Pourquoi est-ce que vous avez apporté ça?

Il s'agit d'un manche en fanon sculpté, que Star elle-même a trouvé dans l'épave du *Nuestra Señora de la Luz*, le vaisseau qui a coulé il y a 340 ans. Les initiales J.B. sont gravées au-dessus d'une grosse pierre foncée, assombrie par le corail qui la recouvre. Adriana a envoyé, par courriel, une photo de la pièce à son oncle, un spécialiste des antiquités au musée national de Londres. Selon lui, il s'agirait du manche d'une canne ou d'un fouet, qui serait, sans l'ombre d'un doute, d'origine anglaise. Ce qui est curieux puisque le *Nuestra Señora* est un galion espagnol. Tous les autres objets trouvés, soit par Cutter ou par les quatre stagiaires, sont d'origine espagnole.

— Il est plus en sécurité ici qu'à l'institut, soutient Adriana. Oublie pas que Cutter a fouillé nos pavillons. C'est peut-être la seule chose dont il connaît pas encore l'existence.

— C'est vrai, admet Star. Mais d'un autre côté, on s'en fiche. La chasse au trésor, c'est fini pour nous. Ils ont probablement décidé de nous renvoyer, non? Qu'est-ce que Gallagher a dit?

— C'est ça le plus bizarre, répond Dante. On peut rester. On peut même plonger si on veut... comme si ça nous intéressait. Ça tient pas debout. Maintenant que notre été est gâché, Poséidon se souvient qu'on existe!

— Tout ce qu'ils veulent, c'est éviter d'être poursuivis en justice, déclare Star.

Elle montre un bouquet de fleurs sur sa table de chevet.

— Vous devinerez jamais de qui elles viennent. De Gallagher! Et il fait venir mon père en avion, toutes dépenses payées. Si j'étais à la maison, je lui ferais aussi nettoyer ma chambre. Quel imbécile!

— Tu devrais le poursuivre, jette Dante. Comme ça, il y aurait au moins quelque chose de positif dans tout ça.

— J'espère que c'est une blague que tu fais, répond Star d'un air sombre. Personne devrait profiter de ce qui est arrivé au capitaine.

— Il me manque, dit doucement Adriana. C'est bizarre maintenant, à l'institut. Je m'attends toujours à le rencontrer dans un couloir.

Un silence mélancolique s'installe.

Star termine son dîner.

— Je suis vraiment contente que vous soyez venus me voir. Hé, où est Kaz?

Menasce Gérard charge la dernière bouteille sur le pont du *Francisco Pizarro* et saute à bord. Il vérifie les étiquettes encore une fois. La plongée profonde avec un scaphandre autonome n'est pas chose simple. Il faut une variété de mélanges respiratoires et la moindre erreur peut gâcher la plongée. C'est sa dernière vraie chance de trouver le corps du capitaine. Alors, mieux vaut vérifier deux fois plutôt qu'une.

Le capitaine Janet Torrington observe le guide de plongée du haut de son poste, dans la timonerie du *Pizarro*.

— Tout est prêt, l'Anglais?

Avant qu'il ait le temps de répondre, des pas résonnent sur le quai et une voix affolée appelle :

— Hé, attendez!

Kaz surgit dans le décor. Son sac de plongée, qu'il porte en bandoulière, ballotte de tous côtés.

D'un bond, il est sur le pont.

— Je viens avec vous!

— Toi! Tu ne vas nulle part! mugit l'Anglais. Descends tout de suite ou je te balance par-dessus bord!

— Le capitaine Vanover était mon ami aussi! s'exclame Kaz.

— Vraiment? Alors, j'aurais souhaité qu'il choisisse ses amis un peu mieux! Vous n'êtes qu'une bande d'ados américains qui s'imaginent dans un film d'Hollywood, et toi, tu te prends pour John Wayne menant ses cow-boys, je ne sais trop où... Ce n'est pas une aventure, pauvre gamin! Et quand vous allez retrouver vos centres commerciaux et MTV, Braden, lui, sera toujours mort!

Kaz le regarde droit dans les yeux et dit la seule chose qui lui vient à l'esprit :

SOUS LA MER

— Je suis canadien.

— Je m'excuse si je ne tamponne pas ton passe-port!

— Écoutez, vous avez besoin de moi, objecte Kaz. J'étais là quand le capitaine est mort. Il se pourrait que je reconnaisse quelque chose.

— Comme quoi, monsieur? Qu'il y avait de l'eau tout autour et que c'était très profond? Peuh!

Le guide rejette la proposition du revers de la main.

— Du travail de détective comme ça, je n'en ai pas besoin, dit-il.

— Vous pouvez pas en être certain, s'obstine Kaz. Si vous revenez sans le corps, vous saurez jamais ce que j'aurais pu voir. Et aujourd'hui, c'est la dernière journée parce qu'il est au fond depuis déjà quarante-huit heures et que...

La phrase est trop terrible pour qu'il la termine à voix haute. Au fond de la mer, le corps du capitaine va se fondre dans l'écosystème de l'océan. Il sera bientôt défiguré par la vie marine qui va s'en nourrir.

— Est-ce que tu comprends le travail pour lequel tu te portes volontaire? demande l'Anglais avec colère. Il ne s'agit pas d'une baignade amusante pour observer les beaux petits poissons! Il y a cent mètres d'eau entre nous et ce qu'on cherche. Sais-tu que tu dois porter un équipement qui pèse plus lourd que toi? Sais-tu que tu dois respirer des gaz spéciaux parce que l'air est poison à une telle pression? Sais-tu que chaque minute passée au fond signifie quatre minutes en décompression si tu ne veux pas finir comme ton amie Star, ou pire?

Il grogne de dégoût.

— Ce que tu ignores à propos de cette plongée remplirait toute une encyclopédie!

Kaz ne se dégonfle pas.

— Je vais me tenir près de vous tout le temps. Je ferai tout ce que vous ferez. Il faut que vous me laissiez essayer.

Le capitaine Torrington regarde le colosse en soulevant un sourcil.

— Je ne pense pas qu'il va partir.

Kaz joue son atout.

— Vous dites que c'est de notre faute si le capitaine est mort. D'accord. Alors, si j'ai des ennuis dans l'eau, ce sera exactement ce que je mérite.

L'Anglais s'éclaircit la gorge.

— Je vais te montrer comment faire. Mais j'espère que tu vas écouter comme si ta vie en dépendait... parce que c'est le cas, monsieur.

Tandis que le *Pizarro* fend les vagues par un temps anormalement brumeux et instable, Kaz fait de son mieux pour faire entrer des années d'entraînement dans un voyage en bateau de trente minutes. Il a l'impression que le défilé d'équipements ne finira jamais. Il va porter trois détendeurs, cinq bouteilles contenant différents mélanges respiratoires et trois lampes – une dans sa cagoule, une à son poignet et une de réserve dans la poche de son gilet stabilisateur, ou stab.

— Tu crois qu'on est en plein jour? demande l'Anglais. À cent mètres, il fait toujours nuit.

Kaz apprend vite qu'une plongée à une grande profondeur ressemble autant à une plongée récréative qu'une expédition polaire à une promenade dans le parc. Même sa combinaison de plongée n'est pas appropriée. Le caoutchouc léger est une protection adéquate contre les égratignures et les piqûres d'un récif corallien. Mais seule une combinaison de néoprène va l'isoler du froid glacial des profondeurs.

Je serai peut-être bien au chaud en bas, se dit-il en remontant la fermeture à glissière du tissu épais, *mais ici, dans la chaleur tropicale, je fonds!*

L'Anglais le charge d'un équipement qui écraserait un cheval de bât. Chez lui, à Toronto, Kaz était un joueur de hockey. Il est donc habitué aux vêtements de protection rembourrés et encombrants. Mais ça, c'est incroyable : plus de quarante-cinq kilos d'équipement sont accrochés à sa charpente de quatorze ans. Les jambes raides, il réussit à faire quelques pas pour se rendre jusqu'à la plate-forme, tandis que le capitaine Torrington jette l'ancre.

Ils se trouvent directement au-dessus de la dernière position indiquée par l'*Octopode*.

Tout à coup, Kaz a peur. Est-ce qu'il peut faire ça? Son certificat de plongée de base n'a rien à voir avec un plongeon à cent mètres avec des mélanges respiratoires.

Malgré le fait que l'Anglais soit aussi très chargé, il se déplace sur le pont avec aisance et assurance. Il remarque le malaise de Kaz.

— Il n'est pas trop tard pour changer d'idée, dit-il presque gentiment.

Kaz secoue la tête obstinément et descend sur la plate-forme d'un bond. Ses genoux cèdent presque sous l'impact.

— Ramenez Braden chez lui, ordonne le capitaine Torrington.

Kaz et l'Anglais plongent dans les vagues.

CHAPITRE QUATRE

Kaz se fait immédiatement malmener par un puissant courant. Il manipule les contrôles de son stab à tâtons pour descendre et s'éloigner du plus fort du courant. Mais, oubliant qu'il porte un équipement lourd, il plonge de dix mètres en quelques secondes, ce qui lui débouche douloureusement les oreilles d'un seul coup. Finalement, il se stabilise. Il est surpris de constater que le poids additionnel n'est pas si mal sous l'eau, bien que l'épaisse combinaison de néoprène lui donne l'impression d'avoir été laminé.

Il bat des jambes avec effort pour rejoindre l'Anglais, puis les deux descendent vers une destination invisible en suivant le cordage tressé. Les profondeurs étourdissent Kaz. Ses autres plongées, il les a effectuées au-dessus du récif, où il pouvait bien voir le fond quand il entrait dans l'eau. Tout ce qu'il peut voir maintenant est un vide, dont le bleu infini s'assombrit au fur et à mesure qu'ils descendent, en traversant des nuages de vie marine.

Juste au moment où Kaz commence à sentir l'effet déstabilisant de la narcose à l'azote, l'Anglais lui tape sur l'épaule.

Changement de bouteille. Kaz fait passer son détendeur de ses bouteilles latérales, contenant de l'air comprimé, à un des gros réservoirs de deux mètres cubes qu'il porte sur son dos. Déconcerté, il crache l'eau salée qui lui est entré dans la bouche, et aspire enfin la saveur métallique du mélange Trimix. L'ivresse disparaît instantanément. L'Anglais l'avait préparé à tout ça. L'effet intoxicant vient du fait que l'azote présent dans l'air a été absorbé par son corps. Mais avec le mélange Trimix, la plus grosse partie de l'azote est remplacée par de l'hélium. Ce sera le mélange gazeux qu'ils vont respirer dans les grandes profondeurs.

En passant quarante-cinq mètres, l'Anglais allume sa lampe frontale, projetant ainsi un cône lumineux dans l'eau qui s'assombrit. Kaz fait de même et la mer s'anime autour de lui. Mais ils sont encore bien loin du fond.

Soixante mètres. La longueur d'une patinoire de hockey réglementaire. Sur patins, Kaz aurait franchi la distance en quelques secondes. Et pourtant, la surface semble à des kilomètres. Même les poissons évitent ce monde plus obscur, préférant demeurer là où les rayons du soleil pénètrent.

Le hockey. Kaz est stupéfait de constater que le souvenir le hante toujours. La finale de l'Association de hockey mineur de l'Ontario. Une dure mise en échec, un accident rare. Et un garçon nommé Drew Christiansen est confiné à un fauteuil roulant pour le reste de sa vie. Il est arrivé tellement de choses depuis : la mort du capitaine Vanover, la blessure de Star. Et pourtant, c'est ce souvenir-là qui l'accable, qui l'empêche de dormir la nuit. Le sport qu'il adorait, dans lequel il excellait, a fait de lui une arme de destruction.

C'est ce qui l'a tout d'abord conduit à Poséidon. Faire de la plongée dans les tropiques, c'était aux antipodes du hockey au Canada. C'est pour ça qu'il est ici, sous sept atmosphères de pression, branché à un laboratoire d'équipements flottant, à respirer un cocktail chimique de gaz exotiques.

Quatre-vingts mètres. Enfin, le voilà, le fond de la mer, et cette pente abrupte. C'est ici que les hauts-fonds cachés plongent vers l'abysse.

Arrivés à quatre-vingt-cinq mètres de fond, les plongeurs neutralisent leur flottabilité pour entreprendre la recherche. Kaz jette un coup d'œil autour de lui. Il se sent impuissant. À la surface, ça lui avait semblé une tâche simple : descendre jusqu'aux bonnes coordonnées et trouver le corps. Mais maintenant, il mesure toute l'immensité uniforme de la pente. Leur lampe frontale sculpte des ovales spectraux dans la noirceur de l'inclinaison sablonneuse.

Les plongeurs synchronisent leurs montres. Kaz sait qu'ils disposent de vingt-cinq minutes seulement. Et, à cette profondeur, il leur faudra près de deux heures de décompression avant de pouvoir regagner la surface sans danger. S'ils restent au fond plus longtemps, ils n'auront pas assez de mélanges respiratoires pour terminer la décompression. Ils feront alors face aux mêmes choix que Star : la suffocation ou le mal des caissons.

Il y a donc comme le tic-tac d'une horloge derrière

le sifflement de son détendeur. Kaz promène sa lampe sur la vaste monotonie du fond tout en gardant un œil anxieux sur l'Anglais, qui parcourt la pente de long en large en suivant un tracé méthodique. Se perdre ici – Kaz n'ose même pas s'imaginer le scénario. Une chose est certaine : ça signifierait la mort à coup sûr.

Arrête de penser et cherche. Il te reste seulement quinze minutes!

Il peut aussi sentir le froid, maintenant. Une combinaison de plongée, ce n'est pas étanche. Le froid pénétrant de l'océan le fait frissonner. Comme le fond marin est incliné, il doit régler sa flottabilité pour s'y tenir en parallèle. Il regarde les chiffres sur son profondimètre : quatre-vingt-six mètres, quatre-vingt-neuf. Vont-ils atteindre cent mètres? Ça semble probable. La pente est longue. À bord de l'Octopode, les stagiaires ont remarqué des débris éparpillés à cet endroit, qui les ont menés à la deuxième épave, à deux cents mètres.

Un autre changement de bouteille. Kaz accroche son détendeur au second gros réservoir de deux mètres cubes. Ici, le gaz disparaît à la vitesse de l'éclair; dix atmosphères de pression le compriment presque totalement. *Plus que onze minutes.*

Kaz a le souffle coupé lorsqu'il voit l'Anglais descendre pour aller examiner une forme sombre au fond. Mais c'est une fausse alerte – une tache de boue noire sur la pente sablonneuse. Kaz regarde sa montre. *Quatre minutes.*

On vous laisse encore tomber, capitaine, se dit-il, en proie à la détresse. *Vous avez été gentil avec nous,* c'est tout, et ça vous a coûté la vie. On peut même pas trouver votre corps pour que vous ayez des vraies funérailles.

Kaz gaspille le temps qui lui reste; c'est tout juste s'il bat des palmes. Qu'est-ce que ça va changer s'ils le trouvent? Braden Vanover, l'homme, l'ami, sera quand même mort.

Ses yeux sombres, alourdis d'angoisse et de fatigue derrière son masque, l'Anglais fait signe à Kaz de retourner au câble d'ancrage. La recherche est terminée. Kaz se met à pleurer doucement, mais il suit sans protester. Ils montent lentement, laissant leurs bulles les dépasser.

Au moment où ils passent soixante mètres, la lueur de la lampe frontale de Kaz, affaiblie par la distance qui les sépare de la pente, se pose sur une énorme gorgone. Elle s'est repliée sous l'effet de son propre poids. Debout, la chose ferait bien deux mètres.

Une poussée d'adrénaline électrifie Kaz; elle part du plus profond de lui-même et irradie jusqu'à ses extrémités. Le souvenir de cette journée terrible explose comme une grenade dans son cerveau. Des images syncopées lui apparaissent, tel un vidéoclip : le rugissement de l'océan inondant le submersible en panne, la lutte pour s'en sortir, la remontée angoissée. Et, à travers le brouillard de la narcose à l'azote, une image sombre, embrouillée; une énorme gorgone écrasée sur la pente, juste à quelques mètres.

Kaz lâche le câble d'ancrage et s'élance en direction de la gorgone affaissée.

— Non! s'écrie l'Anglais dans son détendeur.

Le guide va le tuer et Kaz reconnaît qu'il n'a pas tout à fait tort. Ce détour pourrait perturber tout leur horaire de décompression, un risque mortel. Mais quelque chose d'autre que la raison le lance loin de la corde et de la sécurité. Il lui reste une dernière chance, une mince chance de retrouver le capitaine; et Kaz se doit de la prendre.

Il nage de toutes ses forces en serrant les dents et regarde vers le bas.

CHAPITRE CINQ

Le corps est si près que Kaz, dégoûté, a un mouvement de recul.

Le capitaine Vanover repose sur la pente, portant toujours les vêtements qu'il avait lors du dernier voyage de l'*Octopode*. Il a les bras en croix et se balance légèrement au même rythme que la gorgone.

Du calme! s'ordonne Kaz, qui sent sa respiration s'accélérer. S'il fait de l'hyperventilation, il va aspirer les restes de son Trimix en un rien de temps.

Il avale avec difficulté et descend vers le corps. Il observe le visage lorsque celui-ci apparaît dans le cône de lumière de sa lampe frontale. Il s'attendait à voir une image de film d'horreur, une carcasse défigurée, hideuse. Mais ce qu'il a sous les yeux est peut-être encore plus bouleversant. Bien que son teint soit bleu et sans vie, Braden Vanover a son air habituel; comme s'il était sur le point de parler, de rire ou de raconter une bonne blague.

C'est pas une blague, se dit Kaz.

Le capitaine a les yeux fermés. Kaz avance la main pour lui toucher le bras et constate que la peau n'a plus la texture de la chair humaine. Elle est caoutchouteuse – la douceur froide du néoprène.

L'Anglais arrive d'en haut, son visage exprimant à

la fois la tristesse et le triomphe. Malgré les émotions qui l'assaillent, il ne perd pas une seconde. En ce moment, chaque respiration qu'ils tirent du réservoir est empruntée à leur temps vital de décompression.

L'opération n'est pas compliquée. Kaz aide l'Anglais à transporter le corps – il flotte étonnamment bien – jusqu'au câble d'ancrage. Le guide attache deux parachutes ascensionnels à son ami, un sous chaque bras. Puis il les gonfle en se servant de son stab. Le corps remonte la corde comme par magie. Il est presque immédiatement hors de vue.

Kaz, qui a repris la montée, s'imagine l'horrible découverte attendant le capitaine Torrington quand le cadavre va atteindre sa destination. Au cours de la remontée, l'air dans ses cavités va prendre de l'expansion. Le corps n'était pas déformé dans sa tombe sous-marine, mais à la surface, il sera méconnaissable tant il aura gonflé.

En arrivant à trente mètres, ils changent de bouteille pour revenir à l'air comprimé. Kaz sent la somnolence plaisante de la narcose, mais la sensation s'est déjà évanouie quand l'Anglais agrippe le câble et lui fait signe de faire la même chose. Ils sont arrivés à dix-huit mètres – leur premier palier de décompression.

L'idée, c'est qu'un plongeur de grande profondeur peut éviter le mal des caissons en retournant lentement à la surface. Ainsi, les gaz absorbés vont être expulsés naturellement, au lieu de faire mousser le sang et les tissus. Mais le plongeur doit faire l'ascension en cinq paliers.

L'arrêt à dix-huit mètres est court : quatre minutes à regarder les poissons et à se tourner les pouces. Mais la longueur des pauses augmente rapidement. Les douze minutes à douze mètres ne sont pas si mal. Par contre à neuf mètres, Kaz se surprend à fixer les aiguilles de sa montre de plongée pendant les dix-huit minutes de l'arrêt. Il y a un autre problème ; ici, la mer est tiède, mais leur épaisse combinaison de néoprène est conçue pour des océans beaucoup plus froids. Kaz transpire à profusion.

Ils arrivent enfin au palier de six mètres. Ici, le courant est encore une fois un facteur non négligeable. Kaz doit se cramponner au câble d'ancrage pour rester en place. Au début, ce n'est pas trop difficile, mais l'effort exigé pour demeurer ainsi pendant trente-deux minutes est exténuant.

La profondeur, c'est pas si terrible, se dit-il. *C'est la décompression qui rend fou!*

Il appréhende vraiment leur dernier arrêt; ce sera à trois mètres, contre le courant. Et il doit durer plus d'une heure.

Grimper lentement le long de la corde s'apparente à escalader une montagne, une main après l'autre, dans un vent impitoyable. Quand ils atteignent la marque des trois mètres, Kaz s'accroche aussi fort qu'il le peut, en claquant comme un drapeau dans l'eau rapide. Il est temps de passer à leur troisième et dernier mélange respiratoire – de l'oxygène pur pour accélérer la décompression.

Mais comment est-ce que je vais pouvoir changer

de bouteille dans ce courant? Même si je lâche juste
une main, je suis perdu.

Il tente d'appeler dans son embout.

— Je peux pas…

L'Anglais l'interrompt.

— Oui, tu le peux.

Il enroule son bras droit solidement autour du câble
et fait la prise de l'ours au garçon avec le gauche. Kaz
s'empêtre dans les boyaux en cherchant à attacher son
détendeur. Quand il prend une première inspiration, il
ne tire que de l'eau salée. Il s'étouffe immédiatement.
Le fait d'être ainsi hors de contrôle, détaché du câble,
lui fait remonter l'estomac jusque dans la gorge.

— Essaie encore! ordonne l'Anglais, les yeux en-
flammés. Vite!

Voilà, c'est fait. Un petit coup sec, puis il retrouve
le goût fort et distinct de l'oxygène. Kaz saisit le câble
de nouveau. Encore soixante-quatre minutes.

Ses poignets se tordent, la douleur devient de plus
en plus insoutenable. Ses doigts qui raidissent le font
souffrir; puis ils s'engourdissent. Et la chaleur… il nage
littéralement dans sa propre sueur, à l'intérieur de
l'épaisse combinaison de caoutchouc. Quand il ose
jeter un œil à sa montre, seulement onze minutes se
sont écoulées.

Ferme les yeux. Ça aide à faire passer le temps.

Mais la noirceur dans sa tête ne fait que lui rappeler celle des profondeurs, lui remplissant l'esprit
d'images du capitaine, son corps sans vie dérivant sur
la pente.

Quand Kaz ouvre les yeux, il aperçoit Clarence droit devant lui.

Son corps se tord de terreur, tandis qu'il fixe des yeux la silhouette du monstre, à environ vingt mètres de distance. Qu'est-ce que ça peut être d'autre que le redoutable requin-tigre de six mètres, une véritable légende locale? Le corps musclé, lisse et brillant, plus long que bien des bateaux; la nageoire dorsale triangulaire; la queue en forme de croissant mal équilibrée; l'énorme gueule béante...

Il ne se rend même pas compte qu'il a lâché le câble d'ancrage. Il sent la force du courant le malmener. Mais en ce moment même, sa peur du requin l'empêche de voir dans quel pétrin il se trouve. L'eau le transporte loin de Clarence – pour le moment, c'est tout ce qui compte pour lui.

— Hé! crie l'Anglais en se penchant en avant, prêt à se lancer à sa suite.

Kaz, qui accélère dans le courant, remarque, pour la première fois, à quel point le requin est énorme – dans son souvenir, Clarence n'était pas aussi gros. Il peut aussi distinguer des traces jaune pâle sur la peau d'un gris foncé, presque comme des pois. La mâchoire est différente aussi, molle et pendante. Le requin-tigre, lui, a des mâchoires puissantes, capables de couper une personne en deux.

La vérité apparaît à Kaz dans un moment d'horreur. Il ne s'agit pas du tout de Clarence! C'est un requin-baleine de huit mètres, mangeur de plancton, énorme, mais inoffensif.

Il a lâché le câble d'ancrage – le câble de sauvetage – pour rien.

Menasce Gérard observe la forme de Kaz, qui disparaît dans le courant houleux. Il sait qu'il pourrait rattraper le garçon. Mais alors, ils seraient perdus tous les deux, sans aucun moyen d'obtenir du secours. Non, la seule chose à faire est de rester ici, de garder son calme. Il va terminer la décompression, retourner au *Pizarro* et ensuite, aller à la recherche du garçon.

Mon Dieu, que ces adolescents sont la cause de bien des problèmes. Pourtant, il se doit d'admettre que, sans Kaz, ils n'auraient jamais pu ramener le corps du capitaine. Oui, il doit bien ça au garçon. Son insistance obstinée à faire partie de l'expédition était aussi courageuse que téméraire.

L'Anglais regarde sa montre. Il lui reste encore plus de quarante minutes, mais il peut couper ça en deux. C'est risqué, mais nécessaire s'il veut secourir le garçon.

Vingt minutes d'anxiété plus tard, il surgit des flots. Ne voulant pas risquer même quelques mètres à la nage dans le courant puissant, il se hisse avec son équipement en haut du câble d'ancrage et lance une longue jambe par-dessus le plat-bord du *Pizarro*.

Les restes de Vanover ont déjà été placés dans un sac à dépouille gris sur le pont. C'est peut-être mieux ainsi – il se rappellera Braden tel qu'il était et non dans cet état.

Mais c'est le temps d'agir, pas de réfléchir.

— Vous avez fait vite, commente le capitaine Torrington. Mais où est Kaz?

L'Anglais enlève ses palmes d'un coup de pied et se débarrasse de son équipement.

— Le Zodiac! Vite! crie-t-il.

Torrington ne pose aucune question. Pendant les quelques secondes que le guide met à retirer sa combinaison ruisselante, elle place le radeau gonflable sur la plate-forme de plongée, prêt à appareiller.

— Tu dois être épuisé. Laisse-moi aller le chercher.

L'Anglais secoue la tête.

— Je l'ai laissé plonger. C'est moi qui en suis responsable.

Il pousse le Zodiac à l'eau et monte à bord. Tandis que le moteur du hors-bord démarre en rugissant, il regarde tout autour, impuissant. Kaz est à la dérive depuis presque une demi-heure.

Qui peut dire à quelle distance le garçon se trouve?

CHAPITRE SIX

Fatigué.

Une vague à la fois, la conscience de Kaz s'en est allée jusqu'à ce qu'il ne reste que ce mot.

Il ballotte dans le lourd clapotis en flottant, grâce à l'air dans son gilet stabilisateur. Mais il ne sent plus rien, ni le mouvement, ni les embruns, ni la chaleur du soleil brûlant. Il est épuisé, c'est tout ce qu'il sait.

C'est la notion du temps qu'il a d'abord perdue. Sous l'eau, luttant contre le courant, il a oublié son horaire de décompression. Terrifié à l'idée de remonter trop vite, il a fait la seule chose qui avait du sens : il est demeuré sous l'eau jusqu'à ce qu'il n'ait plus d'oxygène. Ensuite, il n'a plus eu le choix. Il a surgi des vagues en suffoquant.

Il ne sait pas depuis combien de temps il flotte ici. Des heures? Des jours? La seule chose dont il est absolument certain est qu'il ne pourra pas tenir beaucoup plus longtemps.

Se sentant confus, il tente de se clarifier les idées en récitant son nom, son adresse, son numéro de téléphone – des faits concrets pour surmonter son sentiment de désorientation.

— Mon nom est Bobby Kaczinski... je suis défenseur droit...

Alors, qu'est-ce que tu fais au milieu de l'océan?

Il lui faut quelques minutes avant de trouver une réponse à cette question.

— Je suis un plongeur. Je faisais une plongée, mais quelque chose a mal tourné.

Il ne peut pas se rappeler quoi au juste, seulement qu'il est ici, et depuis un bon bout de temps.

C'est à peine s'il se rend compte que le rugissement d'un moteur hors-bord se fait entendre au-delà des vagues. Il ne reconnaît pas non plus les traits sombres penchés au-dessus de lui, lorsqu'il est soulevé et déposé dans le canot gonflable. Mais il n'a jamais été aussi content de sa vie de voir le visage de quelqu'un.

Adriana et Dante dévalent à toute vitesse les rues étroites du minuscule village de Côte Saint-Luc.

Ils reviennent à vélo de la plate-forme pétrolière où ils ont passé l'après-midi avec Star. À l'institut Poséidon, ils ont été accueillis par un message collé sur la porte du pavillon de Dante : *Le garçon est chez moi.*

C'était signé Menasce Gérard.

— Qu'est-ce que Kaz fait chez l'Anglais? demande Dante, quand ils passent devant le bar-rôtisserie où ils ont acheté le dîner de Star, il y a plusieurs heures. Est-ce que tu penses qu'il a un donjon?

— C'était pas une plongée facile aujourd'hui, lui rappelle Adriana. Je gage que Kaz s'en est très bien tiré et que l'Anglais le garde à souper. Il va peut-être nous inviter aussi.

— Ce gars-là nous déteste à mort, grommelle Dante. S'il nous invite pour le souper, c'est parce qu'on est le plat principal.

Elle avale avec difficulté car elle a peur de le dire tout haut.

— Penses-tu qu'ils ont trouvé le capitaine?

— J'espère bien. J'aime pas penser qu'il est perdu quelque part au fond de l'eau.

L'Anglais habite une maisonnette, au centre du village. Le colossal guide de plongée leur ouvre; il a son air renfrogné habituel. Les deux jeunes regardent derrière lui et aperçoivent Kaz, assis sur une chaise en rotin à haut dossier; il boit d'une tasse fumante.

Adriana l'examine. Le visage de Kaz est tout luisant : une crème épaisse recouvre un coup de soleil rouge vif.

— Qu'est-ce qui t'est arrivé? demande-t-elle.

— Rien, répond Kaz. Ça va.

— Mais comment est-ce que t'as pu rôtir sous l'eau? insiste Dante.

— J'ai lâché le câble d'ancrage pendant la décompression, explique Kaz. J'ai dérivé pendant quelque temps. Mais on a trouvé le capitaine.

— Dieu merci, souffle Adriana.

L'Anglais prend la parole.

— Cette crème est le meilleur remède. C'est une vieille femme dans les collines qui la prépare. La tisane aussi. C'est bon dans les cas de déshydratation.

— Demandez-moi pas de vous décrire son goût,

ajoute Kaz avec aigreur.

— Alors, qu'est-ce qui va arriver, maintenant? demande Dante à l'Anglais. Je veux dire, avec le capitaine?

— Le corps va être envoyé à sa sœur, en Floride.

Les yeux sombres leur lancent un regard plein de ressentiment et d'amertume.

— Vous êtes peut-être étonnés d'apprendre qu'il n'existe pas de traitement miracle pour quelqu'un qui est noyé depuis trois jours?

Adriana sent immédiatement les larmes lui monter aux yeux.

— Vous croyez qu'on est responsables de sa mort, c'est ça?

Le guide de plongée ne répond pas tout de suite. Puis il lance :

— Ç'est de la malchance, c'est tout. Mais si vous n'étiez pas venus sur mon île, Braden serait toujours en vie, non?

— On est vraiment désolés, murmure Adriana d'une voix à peine audible. Il a été réellement gentil avec nous.

— Je pense que vous feriez mieux d'emmener votre ami et de partir maintenant.

Ce n'est pas une suggestion : il veut que les jeunes partent. Kaz se lève.

— Vous m'avez probablement sauvé la vie... encore une fois.

— C'est toi qui as trouvé Braden, grogne l'Anglais.

Il se tourne vers Adriana. L'infatigable archéologue fixe des yeux la sculpture en bois suspendue dans un filet à poisson, devant sa fenêtre. La pièce, ravagée par les intempéries, représente la tête et les ailes d'un aigle.

— Et toi, mademoiselle, ajoute-t-il d'une voix impatiente. Qu'est-ce que je peux dire pour t'éloigner de moi et de mes choses?

Kaz intervient.

— Laissez-la…

— J'ai envoyé une photo de cette sculpture à mon oncle, par courriel, dit Adriana. Il croit qu'elle pourrait être du même âge que les autres objets qu'on a trouvés.

L'Anglais soupire.

— Si je t'explique ce que c'est, tu vas partir?

— S'il vous plaît, lance Adriana en rougissant d'embarras.

— C'est l'histoire de celui qui est censé être mon ancêtre anglais… Après le naufrage, il aurait flotté jusqu'à Saint-Luc sur ce morceau de bois.

Les yeux de la jeune fille brillent d'excitation.

— Mon oncle Alfie dit que la pièce s'est probablement détachée d'un bateau parce que le derrière est tout ébréché! Et le bois vient sûrement pas d'ici!

L'Anglais n'est pas impressionné.

— C'est seulement une légende de famille, probablement fausse. Et maintenant, faites-moi le plaisir de rentrer chez vous.

Kaz s'arrête près de la porte.

— Ça a valu la peine... je veux dire, de chercher le capitaine. Je suis content qu'on l'ait trouvé.

— Moi aussi, je suis content, répond Menasce Gérard.

8 septembre 1665

Le goût fort du rhum qu'on le force à avaler réveille Samuel. Il a un haut-le-cœur.

— Bois, Samuel, ordonne York. Ça va te clarifier les esprits.

Une fois encore, on lui fait avaler le liquide brûlant.

S'étouffant et crachant, il se redresse et s'appuie contre la cloison. Il vomirait aussi s'il lui restait quelque chose dans l'estomac. Pendant trois jours, les membres de l'équipage du Griffin se sont battus contre la tempête, qui menaçait de détruire le bateau. Ils n'ont pas eu le temps de manger ni de dormir.

La tempête. C'est ce qui est différent maintenant. La tempête est passée, Dieu soit loué. La pluie a cessé, les vents sont tombés et la mer est calme. Mais le Griffin... le trois-mâts a l'air d'un champ de bataille. Des cordes et des débris jonchent le pont. L'artimon a été brisé en deux et un canon tribord qui s'est détaché a fracassé des planches et écrasé une partie de la descente menant aux cabines.

Le mousse tourne les yeux vers York. Le tablier blanc du barbier est maculé de sang. Le résultat d'amputations de membres brisés ou écrasés, se dit Samuel. L'odeur âcre de chair brûlée envahit l'air. Des moignons refermés, des plaies cautérisées; tout ça pour prévenir une infection, qui va très probablement se déclarer de toute façon.

Le sentiment de désespoir qui accable Samuel lui est

de plus en plus familier. Il n'a pas eu une vie heureuse : kidnappé à l'âge de six ans, il a travaillé comme ramoneur, avant de prendre la mer. Et pourtant, le désespoir qui l'envahit maintenant est plus fort que dans ses souvenirs de son enfance misérable. La peur de mourir est loin d'être aussi effrayante que la peur de vivre. Le capitaine et l'équipage du Griffin *sont des corsaires – des pirates en règle. Des assassins, des bourreaux, des voleurs. Le monde serait meilleur si le bateau et tous ses hommes avaient sombré dans la tempête.*

— Vous savez où on est, m'sieu? demande Samuel, le regard vide.

— Malheureusement, non, lui répond le barbier. On est séparés de la flotte et à des lieux de notre direction. Ce sera un vrai miracle si l'un d'entre nous réussit à rentrer au pays. Maintenant, secoue-toi un peu. La cabine du capitaine a besoin d'être nettoyée après la tempête.

Les quartiers de James Blade sont dans un état désastreux. Déjà qu'il n'est pas un homme ordonné : il lance des objets quand il est enragé et laisse sur le plancher ceux qui y sont tombés. La tempête a ajouté à ce chaos. Les affaires du capitaine et la literie ont été projetées un peu partout sur le pont et une carafe de brandy s'est fracassée. Des livres qui ont culbuté des rayons sont ouverts par terre et leur papier absorbe le liquide brun.

Samuel va tout d'abord à la rescousse des livres; il a l'impression qu'ils sont plus précieux que toute autre chose dans la pièce. Bien qu'il ne puisse pas comprendre les étranges symboles sur leurs pages, il se doute que les volumes révèlent un monde moins dur que celui qu'il connaît. Un monde où la vie a autre chose à offrir que la souffrance, la violence et la cupidité.

Entre les draps entortillés se trouve le fouet du capitaine; son œil maléfique en émeraude brille dans le manche en fanon sculpté. Samuel recule. C'est l'objet qu'il déteste le plus – presque autant que le capitaine Blade lui-même. L'image d'Evans, le voilier, le seul ami de Samuel, fait monter les larmes aux yeux du mousse. Le pauvre vieil homme a été frappé à maintes reprises avec ce fouet. Ces flagellations ont été à l'origine d'un événement terrible : Blade a fait tomber Evans du mât, et ce dernier en est mort.

Samuel est sur le point de faire la couchette du capitaine quand il entend un cri :

— Voile en vue!

Un bateau! La flotte!

Quand Samuel atteint le haut de l'escalier, une foule de marins s'élance vers le plat-bord bâbord et une rumeur excitée monte du pont. Samuel se joint à la cohue en faisant attention de ne pas mettre le pied sur les rats, chez qui toute débandade à bord ne manque pas de créer une agitation.

Le capitaine Blade se dirige vers la rambarde à grandes enjambées.

— Alors, matelot! Est-ce qu'il fait partie de notre flotte?

— Il est gréé en carré, m'sieu! Je cherche une inscription.

En un habile tour de main, Blade ouvre sa longue-vue en laiton et la place contre son œil.

— C'est un galion, parbleu! Il est espagnol!

York se fraie un chemin vers l'avant.

— Il fait partie de la flotte avec le trésor?

— Oui! rugit le capitaine. Endommagé par la tempête et impuissant. À vos épées, les gars! Ce soir, on va faire le compte de notre butin!

CHAPITRE SEPT

Star se dresse sur son lit et fait basculer ses jambes sur le côté. Son visage exprime une volonté inflexible.

Je serai pas handicapée par ça. J'avais une incapacité avant et ça m'a pas arrêtée. Je vais pas me laisser abattre par ça, non plus.

Mais ses jambes cèdent immédiatement sous elle et aucune volonté ne réussit à la soutenir. Sa main cherche à tâtons à s'agripper à la table de chevet, mais ne réussit qu'à renverser le sac marin qui est posé dessus. La douleur qu'elle ressent au moment où son épaule heurte le dur plancher n'est rien comparé à l'angoisse qui la saisit aux tripes.

Je m'attendais pas à danser la claquette aujourd'hui, mais il devrait y avoir un signe d'amélioration. Un rayon d'espoir? Quelque chose?

Enragée, elle ramasse la première chose qui lui tombe sous la main : le manche en os. En hurlant, elle le lance de toutes ses forces à travers la pièce. Avec un craquement, il heurte le cadre de la porte en acier et rebondit.

Soudain, sa colère se retourne contre elle-même. *T'es vraiment logique. Brise un artéfact vieux de trois cents ans. Ça, ça va t'aider à marcher.*

Maintenant, la seule pièce tirée des épaves, dont

Cutter ignore l'existence, repose sur le plancher, comme un crayon qu'on aurait laissé tomber. Il faut qu'elle la cache avant que quelqu'un la voit.

En s'aidant de ses bras, qui sont forts en raison de son entraînement en natation, elle commence à traverser la pièce en se tirant sur les tuiles. En haletant, elle allonge le bras pour saisir le manche. Il est tout juste hors d'atteinte.

Une voix familière lui parvient de la réception.

— Chambre 224.

Oh, non! Marina Kappas!

Dans une tentative désespérée, Star allonge son corps au maximum, attrape le fanon sculpté et recule en se tortillant pour regagner son lit. Elle entend des pas dans le couloir au moment où elle cache le manche dans son sac marin, referme la glissière et le fourre sous la table de chevet.

Deux jambes apparaissent dans l'embrasure de la porte.

— Star, qu'est-ce que tu fais par terre? demande la splendide Californienne d'un air inquiet.

— Le crawl australien, réplique Star sur un ton sarcastique. Que pensez-vous que je fais? J'essaie de marcher et ça fonctionne pas.

Puis une voix douce prononce son nom.

Elle lève enfin la tête.

— Papa, dit-elle d'une voix à peine audible.

Il s'est passé beaucoup de choses au cours des dernières semaines, mais dans ces lieux si exotiques, tout avait un côté irréel; c'était un peu comme un rêve.

Maintenant, en voyant son père – quelqu'un de son pays, de sa vraie vie – Star se sent tout à coup écrasée par les événements.

C'est à la fois déchirant et terrifiant.

M. Ling soulève sa fille de terre et la dépose délicatement sur son lit. Puis il la serre dans ses bras en la laissant pleurer.

Bien à l'abri dans le sac marin, le manche en fanon repose sur une pile de t-shirts pliés. Dans son empressement, Star n'a pas remarqué qu'au moment de la collision avec le cadre de porte, un fragment de corail s'est détaché du manche. La pierre encastrée en son centre brille maintenant d'un vert ardent.

La grue est si énorme qu'en entendant le rugissement de son treuil, on se croirait sur la piste d'un aéroport, au moment du décollage. L'Institut océanographique Poséidon ne possède rien de semblable. Cette pièce d'équipement titanesque, ainsi que l'*Antilles IV* – l'énorme bateau qui la soutient – ont été empruntés à la Société pétrolière des Antilles. Ils servent normalement à récupérer des pièces de forage égarées, ainsi que des conduites sous-marines. Mais aujourd'hui, la proie est l'*Octopode*, le sous-marin de recherche qui a été mis hors service et abandonné par le défunt capitaine Vanover et les quatre stagiaires.

Cent mètres plus bas, des plongeurs de la société pétrolière attachent des grappins et des parachutes ascensionnels à la coque endommagée du submersible.

Puis les câbles puissants se mettent à hisser l'*Octopode* hors de sa prison sous-marine. Les parachutes ascensionnels se gonflent au moment où le véhicule s'élève et que l'air à l'intérieur prend de l'expansion.

Quelques minutes plus tard, l'*Octopode* sort de l'eau; sa bulle translucide luit au soleil. Ruisselant, il est monté au treuil sur le pont de service de l'*Antilles IV*, où des douzaines de membres d'équipage l'attendent.

Loin en arrière, une deuxième grue, plus petite celle-là, fonctionne aussi. Elle hisse la cloche de plongée qui loge les plongeurs-sauveteurs. Elle joue aussi le rôle de chambre de décompression, épargnant aux travailleurs des profondeurs le besoin de s'arrêter à des paliers de décompression, dans l'eau.

À l'intérieur de la cloche, les hommes jouent aux cartes, lisent des magazines ou font une sieste. Mais une paire d'yeux est collée au hublot pour suivre l'évolution des travaux sur l'*Octopode*.

L'Anglais regarde attentivement l'équipe qui enlève à la pelle une quantité infinie de boue du ventre du submersible. Oui, tout concorde avec ce que les quatre adolescents lui ont raconté. Deux plaques de fibre de verre se sont séparées, et du coup, l'*Octopode* a dragué d'énormes quantités de sable et de boue du fond marin. Avec tout ce poids additionnel, le véhicule est devenu trop lourd pour retourner à la surface.

L'Anglais et ses collègues sont habitués à des décompressions qui peuvent durer jusqu'à deux semaines, mais aujourd'hui, le séjour est court. Au bout de deux heures et demie, la cloche est ouverte et l'équipe des grands fonds en sort. La coque de titane du submersible est maintenant suspendue au-dessus du pont de récupération. Un seul technicien se tient en dessous pour l'examiner et prend des notes.

L'Anglais s'approche de lui, levant la tête pour scruter la coque au nez aplati. Il aperçoit presque immédiatement les plaques desserrées.

— C'était ça, le problème, non? fait-il en pointant du doigt.

— La sonde de température est là, derrière, répond le technicien en hochant la tête. Je ne peux pas comprendre comment les plaques se sont séparées, ajoute-t-il en fronçant les sourcils. Ça n'est jamais arrivé avant et cet appareil a quinze ans.

Le guide plisse les yeux pour mieux voir. Selon les stagiaires, les dommages ont été causés au moment d'une collision avec le requin Clarence. Mais ça semble improbable. En attaquant, un gros requin-tigre va marteler la fibre de verre et le museau arrondi va laisser des bosses. Ces panneaux sont intacts, sauf pour ce qui est du mécanisme de verrouillage, qui est écarté et tordu.

Un coup d'un prédateur en colère? La probabilité est mince : une chance sur un million?

Non. Le joint serait tordu vers l'*intérieur*. Ici, c'est vers l'*extérieur* qu'il est replié... presque comme si on l'avait écarté de force...

— Un sabotage? songe-t-il tout haut.

— Pour quoi faire? lance le technicien en riant. Qui en voudrait à un sous-marin de recherche? Il ne contient que des échantillons ramassés au fond et des algues rares.

Il en faut beaucoup pour surprendre Menasce Gérard, mais lorsque son cerveau fait le lien, il est profondément bouleversé. Peut-être que d'autres missions cherchent du sable et des algues. Mais à cette occasion, l'*Octopode* était à la recherche d'un trésor enfoui au fond de l'eau.

Qui aurait intérêt à voir cette mission échouer?

Pour Tad Cutter et son équipe, la frustration a commencé à s'installer. Ils ont fouillé le site de l'épave sur le récif et sont certains qu'il s'agit du légendaire galion *Nuestra Señora de la Luz*. Ils ont trouvé une grande quantité d'artéfacts – vaisselle, coutellerie, médailles, crucifix, armes et munitions – et même de gros objets, comme des ancres et des tubes de canon. Il n'y a qu'un problème : le trésor espagnol, évalué à 1,2 milliard de dollars, n'est tout simplement pas là.

L'argent, l'or et les pierres précieuses ne se sont quand même pas volatilisés. Il ne fait aucun doute que le trésor est au fond, quelque part. Mais où le chercher? Ça, c'est la question.

Les jeunes semblaient aussi chercher le trésor, avec l'aide de Braden Vanover. Mais pourquoi ont-ils pris un submersible pour se rendre dans les eaux profondes, alors que l'épave est sur le récif, à peine vingt mètres sous les vagues? Est-ce que les jeunes savent quelque chose que Cutter ignore?

C'est enrageant et très inquiétant. Les Californiens ne sont pas sortis sur le R/V *Ponce de León* depuis des jours. Leur excavation ne donne aucun résultat, mais que sont-ils censés faire? Recommencer à zéro?

Attendre le bon moment. C'est ce que pense Marina. Mais combien de temps peuvent-ils continuer comme ça, avant que Gallagher remarque qu'ils ne sont plus en train de cartographier le récif? Combien d'heures Cutter peut-il gaspiller dans la buanderie de Poséidon à regarder ses bas culbuter par la fenêtre de la sécheuse et à prier pour un éclair d'inspiration?

La machine s'arrête avec un clic et Cutter se met à plier ses vêtements, le regard vide.

Soudain, la porte de la buanderie s'ouvre avec une telle violence qu'elle frappe le mur. L'Anglais fait irruption dans la pièce, et il semble très en colère.

— Salut, l'Anglais, qu'est-ce qui t'amène...?

Le guide traverse la pièce en deux enjambées, ce qui serait impossible pour une personne de taille normale. D'un geste, il sort une longue serviette du panier de Cutter, l'enroule autour du torse de l'homme plus petit et serre fort en lui collant les bras au corps.

Cutter est stupéfié.

— Hé, qu'est-ce qui se passe?

Écumant de rage, l'Anglais serre encore plus fort.

— Si tu me dis, monsieur, comment tu as tué Braden Vanover, il se pourrait que je t'emmène à la police en vie!

Cutter a du mal à respirer.

— De quoi parles-tu? Personne n'a tué Braden!
C'était un accident de submersible! Le requin...

— Assez!

La voix du plongeur retentit en faisant trembler tous
les objets dans la pièce qui ne sont pas fixes.

— J'ai vu « l'accident »... Et à moins que le requin
soit habile avec une barre à clous, ce n'est pas un
accident! C'est du sabotage! Et qui a des raisons de
faire du sabotage? Toi!

L'étonnement de Cutter est si réel que l'Anglais
le relâche immédiatement. Il est certain qu'une telle
expression de surprise ne peut pas être simulée.

— Tu es sérieux? lance Cutter, horrifié. Quelqu'un
a saboté le submersible? Et tu crois que c'est *moi*?

— Je ne suis pas aveugle, grogne l'Anglais. Tu
crois que tu peux me cacher ce que tu fais? J'ai vu le
corail que tu as brisé pour chercher de l'or. J'ai vu que
tu as fracassé le récif avec une suceuse à air et un
marteau-piqueur. Tu ne peux pas me tromper!

— O.K., O.K., fait Cutter. On n'est pas des enfants
de chœur. Mais on n'est pas des assassins non plus.

L'Anglais lui lance un regard furieux.

— C'est ce qu'on va voir.

Il tourne les talons et sort aussi abruptement qu'il
est entré.

CHAPITRE HUIT

Chris Reardon est scandalisé.

— Il t'a accusé de meurtre?

Cutter se redresse sur sa chaise, dans le petit bureau que l'institut Poséidon a assigné à l'équipe de la Californie.

— En quelque sorte. Il a dit que le submersible avait été saboté, et que c'est ça qui a tué Braden et donné les bends à la fille. Je pense l'avoir convaincu que ce n'est pas nous. Du moins, je l'espère.

Reardon hausse les épaules.

— L'Anglais! Je ne voudrais pas que ce gars-là soit en colère contre moi.

— C'est déjà fait, dit Cutter sur un ton morose. Il a compris ce qu'on fait ici. Pour une raison ou pour une autre, il n'a rien dit, sinon Poséidon nous aurait déjà demandé de vider les lieux.

— Il ne parle probablement pas à Gallagher, fait observer Reardon. Soit ça, ou il sait qu'on n'a pas encore trouvé un sou dans cette maudite épave.

Marina entre en coup de vent dans le bureau, en agitant une vidéocassette.

— Hé, les gars! Prêts pour une soirée vidéo?

— Il est trois heures de l'après-midi, grommelle Reardon.

— Qu'est-ce que c'est? demande Cutter.

Marina fait un large sourire qui révèle trente-deux dents parfaites.

— Pas grand chose... seulement une copie de la cassette qui était dans la caméra de l'*Octopode*.

— Comment as-tu fait pour te procurer ça? demande Reardon, stupéfait.

— L'ingénieur en chef responsable de l'enquête... figure-toi qu'il a un faible pour moi, répond-elle en gratifiant ses deux partenaires d'un sourire de super modèle. Vous voulez savoir ce que Braden et les jeunes cherchaient? S'ils l'ont trouvé, ça sera là-dessus.

Cutter lui arrache la cassette des mains et la pousse dans le magnétoscope sur le bureau.

— Fermez la porte.

Les trois chasseurs de trésor se serrent autour du petit écran de télévision. La caméra de l'*Octopode* s'est mise en marche automatiquement, aussitôt que le submersible est entré dans l'eau. Le moniteur leur montre une descente régulière, passant des eaux d'un turquoise pâle qui fourmillent de poissons à des profondeurs que les rayons du soleil ne peuvent pas atteindre. La caméra a enregistré le moment où les projecteurs du submersible se sont allumés et même la réaction étonnée d'une pieuvre.

Un compteur en haut à droite calcule le temps qui s'est écoulé pendant la plongée. Dessous, la profondeur est affichée. En suivant les chiffres, ils peuvent voir que la descente jusqu'à cent mètres a été rapide et directe. Puis le submersible s'est mis à niveau et a commencé ce qui ressemble à un tracé le long du fond marin en pente.

— Ils cherchent quelque chose, murmure Reardon.

— Ça doit être seulement un peu plus loin que l'excavation, déclare Cutter, à l'endroit où les hauts-fonds se mettent à descendre.

Ils observent les lumières du véhicule aller et venir au-dessus de l'inclinaison sablonneuse pendant quelques minutes. Puis Marina appuie sur la touche d'avance rapide et ils se mettent à examiner la cassette à une plus grande vitesse. La recherche continue pendant un bon moment et soudain, Cutter appuie sur PAUSE.

— Regardez ça!

Tous les trois écarquillent les yeux. L'objet est très rouillé et à moitié enfoui dans le sable, mais facilement identifiable : c'est un tube de canon.

— Continue, ordonne Marina. Voyons ce qu'il y a d'autre.

Les Californiens regardent, ahuris, tandis que le fond de l'océan leur révèle ses secrets. Passé le canon, c'est le début d'un vaste champ de débris, qui s'étend sur une centaine de mètres vers le bas de la pente.

Le silence dans la pièce est total; personne ne respire.

— C'est impossible! laisse finalement échapper Reardon. L'épave est sur le récif, sous des tonnes de corail! Comment est-ce que tout ça s'est retrouvé en bas à – il jette un œil sur l'affichage – cent cinquante mètres?

— Plus bas, le corrige Marina, les yeux rivés sur le moniteur. Regarde.

Elle a raison. Il y a des débris tout le long de la pente, mais il semble y en avoir davantage, à mesure que le submersible s'enfonce dans l'abysse.

— C'est incroyable! s'exclame Cutter sur un ton plutôt plaintif. Je le vois, mais je n'en crois pas mes yeux!

Apparaît alors ce que les occupants de l'*Octopode* ont vu avant l'accident. Loin sous la surface, gisant sur un plateau à deux cent seize mètres de fond, le champ de débris s'arrête brusquement dans les restes d'un bateau.

Pour trois chasseurs de trésor avertis, il n'y a pas d'erreur. Même quelques côtes en bois de la vieille coque sont visibles sous le sable mouillé.

— Un autre bateau? s'exclame Reardon, consterné. C'est impossible!

— Lequel est le *Nuestra Señora*? demande Cutter.

— On s'en fiche, répond Marina d'un ton brusque. Le trésor n'est pas sur le récif. Ça veut dire qu'il est ici.

— Est-ce que tu vas plonger à deux cents mètres? demande Reardon en la regardant fixement.

— Il y a des moyens, lui rappelle Marina.

— Il y a aussi le facteur temps, fait remarquer le chef de l'équipe. On vient juste de découvrir ce qu'il y a ici. Ça fait une semaine que les jeunes sont au courant.

— Les enfants n'oseraient pas, lance Reardon. Après ce qui leur est arrivé, ils ne vont même pas mettre les pieds dans une flaque d'eau, et encore moins plonger.

— Peut-être pas, rétorque le chef de l'équipe, mais n'empêche qu'ils peuvent parler. Braden a disparu, mais il y a plein d'autres gens sur cette île qui sauraient quoi faire avec un milliard de dollars.

Marina appuie sur ARRÊT; l'écran devient noir.

— En parlant du pauvre Braden, quelques gens du coin vont tenir un service funèbre sur la plage, ce soir. On ne peut pas manquer ça.

Cutter pâlit.

— Es-tu folle? Je ne peux pas y aller! L'Anglais pense que j'ai tué le capitaine!

— Raison de plus pour y aller, soutient Marina. On s'est rendus jusqu'ici, si près du but. Pas question de perdre le prix de vue, juste au moment où il se trouve à notre portée.

CHAPITRE NEUF

Il ne fait pas encore noir, mais les flammes du feu de camp s'élèvent dans le ciel crépusculaire, sur la plage de Côte Saint-Luc. Environ quarante personnes sont rassemblées quand les trois stagiaires arrivent de la route. Ils s'arrêtent là où les palétuviers cèdent la place au sable.

Dante, qui a une excellente vision nocturne, du fait qu'il est daltonien, plisse les yeux en scrutant la foule.

— Qui est là? demande Adriana. Beaucoup de gens de l'institut?

— La seule personne que je vois est l'Anglais. Il est deux fois plus grand que tous les autres. Aussitôt qu'on va arriver, il va nous dire de décamper.

— Gallagher? demande Kaz.

— Je pense pas, indique Dante.

— Le salaud, marmonne Adriana. Il va pas venir rendre les derniers hommages au capitaine parce que réparer l'*Octopode* va coûter cher à Poséidon.

Le groupe est composé de marins et de scientifiques de l'institut, mais aussi de plusieurs gens du coin. L'atmosphère est plus calme que lors d'une fête, mais pas funèbre pour autant. Les gens conversent tranquillement en se remémorant Braden Vanover et posent de petits souvenirs sur une table, où sont disposées des photos du défunt capitaine. On entend rire à l'occasion, parce que les anecdotes sont souvent drôles.

Quand les trois adolescents se joignent au groupe, le premier visage familier qu'ils croisent est celui de Marina Kappas.

— Merci d'être venus, les jeunes, leur dit-elle, en guise de bienvenue. Votre présence est importante. Vous avez des nouvelles de Star?

— Elle va pas bien, annonce Dante, ébloui par la belle aux cheveux sombres. Il y a un physiothérapeute qui travaille avec elle, mais elle marche pas encore. M. Ling veut la ramener à la maison.

— Quel accident terrible, laisse tomber Marina d'une voix chaleureuse et compatissante. Braden n'est plus et Star...

— Star va très bien s'en sortir, lance Adriana sur un ton brusque.

— Arrête, Adriana... intervient Kaz.

— Non, *toi*, arrête!

La jeune fille n'a jamais été du genre à chercher querelle à qui que ce soit. Mais, en ce moment, elle s'imagine Star avec eux. Star a toujours été soupçonneuse à l'égard de l'attitude amicale de Marina. Cutter et son équipe ne sont pas leurs amis. Un visage qui pourrait figurer sur la couverture d'une revue de mode ne change rien à ça.

— Faites pas semblant que vous vous préoccupez de Star! déclare Adriana sur un ton sec. Faites pas semblant que vous vous préoccupez de nous autres, non plus.

Et elle entraîne littéralement Kaz et Dante loin de la Californienne, ainsi que de Cutter et de Reardon, pour les emmener près du feu qui crépite.

— T'as raison, tu sais, dit Dante à Adriana. Star aurait fait la même chose.

— Star lui aurait arraché les yeux, corrige Kaz avec une pointe de fierté. Star a plus le droit que quiconque d'être ici, ajoute-t-il tristement. C'est en essayant de sauver le capitaine qu'elle a attrapé le mal des caissons.

Les trois stagiaires sont en train de saluer le capitaine Janet Torrington quand ils se retrouvent soudain en compagnie de l'Anglais aussi.

Adriana se met à bégayer des excuses.

— On est désolés, M. l'Anglais. On sait qu'on est pas invités, mais on pouvait pas manquer ça.

— Il faut que je vous parle, dit le guide d'un ton grave.

Il entraîne les trois jeunes à l'écart. Les stagiaires échangent un regard gêné. Kaz prend son courage à deux mains.

— On a le droit d'être ici. Le capitaine était notre ami aussi.

L'Anglais hoche la tête.

— Vous avez raison. Je vous dois des excuses. Vous n'êtes pas responsables de la mort de Braden. Je le sais. C'est un fait.

— On croyait que vous alliez nous dire de déguerpir, fait Dante en soupirant de soulagement.

— Il y a beaucoup de gens ici que vous ne connaissez pas, leur dit l'Anglais. Venez, je vais faire les présentations.

Ils sont étonnés de constater que Star est célèbre chez les plongeurs de la plate-forme pétrolière. Tous ont entendu dire que l'hôpital de la plate-forme hébergeait une jeune fille, qui a attrapé le mal des caissons en tentant de sauver le capitaine Vanover. À titre d'amis de Star, Kaz, Adriana et Dante sont aussi célèbres.

— Le mal des caissons, gronde Henri Roux, le plongeur numéro deux de l'équipe de l'Anglais. J'ai vu trop de bons gars prendre leur retraite en fauteuil roulant. Tu gagnes ta vie à deux cent soixante-quinze mètres de fond et tôt ou tard, tu attrapes aussi le mal des caissons.

Kaz siffle.

— Deux cent soixante-quinze mètres! L'Anglais et moi, on est descendus au tiers de cette profondeur-là et on a dû transporter des centaines de kilos de bouteilles et s'accrocher au câble pendant deux heures.

— C'est un autre genre de plongée, explique l'Anglais. La plongée à saturation se fait avec casque. Très profond, très dangereux. Aucune bouteille. Les gaz respiratoires proviennent du boyau connecté à la surface. Tu décompresses dans la cloche de plongée ou dans une chambre, quelquefois pendant des jours.

— À quelle profondeur est-ce que vous pouvez descendre? demande Dante, impressionné.

— Moi, répond l'Anglais en haussant les épaules, mon plus profond, c'était quatre cents mètres. Mais l'Homme de fer, la combinaison de plongée à une atmosphère, va encore plus profondément. Ou le submersible...

Il s'interrompt. En mentionnant le submersible, il a rappelé à tout le monde la raison de ce rassemblement.

L'Anglais frappe ses deux énormes mains ensemble pour attirer l'attention de la foule. Sa voix résonne sur la plage.

— Nous sommes tous des amis de Braden. Alors, vous savez qu'il était un homme d'action et de peu de mots. Et si vous me connaissez, vous savez que je parle encore moins. Je vous dis donc simplement merci. Vous ne savez peut-être pas qu'il y a une héroïne dans cette triste histoire, une jeune fille américaine, qui, en ce moment, est à l'hôpital, sur la plate-forme principale. Elle est malade parce qu'elle a essayé de sauver Braden. Si vous travaillez là, allez lui rendre visite. Elle est très courageuse. Merci aussi pour les photos et les souvenirs. Ils seront envoyés à la famille de Braden. Demain, les funérailles auront lieu en Floride. Selon les derniers vœux de Braden, ce seront des obsèques en mer.

Kaz lève brusquement la tête.

— En mer? laisse-t-il échapper, consterné. On s'est presque tués en le *sortant* de la mer!

L'Anglais aperçoit les yeux exorbités de Kaz. Le guide de plongée des Caraïbes et le joueur de hockey canadien partagent un moment d'un humour tout à fait exquis, convaincus que l'homme qu'ils pleurent aurait ri, lui aussi.

CHAPITRE DIX

L'eau est froide. Star peut le sentir, mais la combinaison l'empêche de geler. Par ailleurs, elle est tellement survoltée par sa première véritable plongée en scaphandre qu'elle ne remarquerait même pas s'il s'agissait d'un froid cryogénique.

Sa respiration est rapide, mais contrôlée, et le sifflement de l'air comprimé lui semble plus fort que lors de son cours de certification. Elle est dans le fleuve Saint-Laurent, dans le nord de l'État de New York – l'eau est brouillée comme de la soupe aux pois, par comparaison au turquoise impeccable des Antilles françaises. Mais c'est un monde fantastique, un monde caché que découvre Star.

Elle aime tout de ce milieu. Elle adore sentir son handicap disparaître sous l'eau. Elle adore le fait que la gravité n'a aucune emprise ici, qu'avec l'aide de son stab, elle peut voler.

Quand elle aperçoit l'épave, une excitation s'empare de tout son être; elle est électrisée. Elle avance une main gantée pour toucher un hublot corrodé, mais l'obscurité l'empêche de bien évaluer la distance. Elle avance en battant des jambes et s'approche du squelette de fer du bateau, mais le Saint-Laurent vaseux l'empêche d'atteindre l'image…

Star se réveille en sursaut. Le rêve éclate comme une bulle. Chaque matin, les premières secondes sont comme ça; elle est désorientée, puis elle reprend contact avec la déprimante réalité.

Je peux pas plonger. Je peux même pas marcher...

Elle se redresse sur son lit et soulève son oreiller pour s'appuyer dessus. Elle sait que son père téléphone à des compagnies aériennes, dans l'appartement des invités de l'énorme plate-forme. Depuis son arrivée, son père essaie de la convaincre de retourner aux États-Unis pour s'y faire traiter. Mais elle résiste.

— Ils connaissent mieux les bends ici que dans n'importe quel hôpital de Boston, soutient-elle.

Mais en fait, elle sait qu'en quittant Saint-Luc, elle aurait l'impression d'abandonner.

Abandonner quoi? Le stage? Il n'a jamais été question d'un vrai stage. Cutter et son équipe sont des imposteurs, Gallagher s'en fiche et le capitaine Vanover est parti pour toujours. Kaz, Adriana et Dante sont devenus de vrais amis, mais il faut avouer qu'ils tournent en rond maintenant. Ce n'est que le début du mois d'août, et pourtant, leur été est fini.

De toute façon, l'état de Star ne s'améliore pas. Si les médecins de la plate-forme ne peuvent pas l'aider, elle doit laisser la chance à quelqu'un d'autre. Marcher à nouveau – c'est la chose la plus importante. Sur ce point, son père a raison.

Hier soir, elle lui a dit de réserver des billets de retour. C'est la meilleure chose à faire. Quoique...

L'image reste : un plateau boueux dans les profondeurs de l'océan, les restes d'un ancien vaisseau. Et quelque part, dans l'épave en décomposition...

Pense pas à ça! s'ordonne-t-elle. *T'es pas mieux que Cutter!*

Mais ce n'est pas le trésor qui la tourmente. C'est le défi. Comme escalader l'Everest ou marcher sur la lune. Un objectif pour donner un sens à cet été si tragique.

Elle entend des pas et lève la tête pour s'apercevoir qu'elle n'est plus seule. L'Anglais se tient dans l'embrasure de la porte; son expression est indéchiffrable.

— Je pense que tu vas peut-être marcher aujourd'hui, dit-il.

Le visage de Star s'empourpre.

— Qu'est-ce que vous dites là? Que je suis ici parce que j'essaie pas assez fort? Je suis tombée tellement de fois sur le plancher que même mes bleus ont des bleus! Je veux marcher, mais je suis pas capable!

En guise de réponse, le mastodonte la soulève de son lit et l'emporte comme un bébé dans le couloir animé. Elle agite les bras pour se libérer.

— Êtes-vous fou? Qu'est-ce que vous faites?

Il amène un chariot sur roues remplis d'instruments et une potence intraveineuse. Puis il pose Star sur ses pieds, la main droite sur le plateau de métal et la gauche, agrippée à la potence.

— Je vais tomber...

— Alors, tombe, mademoiselle, lance l'Anglais en reculant. Montre-moi que j'ai tort.

Tout son corps tremble. Sur le plateau, des pinces chirurgicales s'entrechoquent. Sur la potence, un sac rempli de fluide se balance comme un pendule. Mais Star reste debout.

Tout à coup, son pied droit fait un petit mouvement flageolant vers l'avant. Il a avancé de quelques centimètres à peine, mais c'est un pas... son premier depuis l'accident. Star chancelle pendant un moment puis se stabilise. Son pied gauche se déplace ensuite, suivi du droit encore une fois. Le chariot et la potence roulent tandis qu'elle progresse dans le couloir à un rythme lent et syncopé.

— Je marche! s'écrie-t-elle, stupéfaite.

En une seconde, tout lâche. Le plateau se renverse, les instruments chirurgicaux sont projetés un peu partout. Déséquilibrée, elle tire sur la potence qui bascule par-dessus elle. L'Anglais s'élance et l'attrape une fraction de seconde avant qu'elle heurte le sol.

Dans son ahurissement, c'est à peine si elle a remarqué le quasi-accident.

— Je marche, murmure-t-elle, n'osant pas y croire. Je vais marcher.

Quand Adriana voit le message de son frère, elle éprouve tout de suite de la culpabilité. Combien de fois s'est-elle assise ici, dans le laboratoire informatique de Poséidon? Elle n'a pas envoyé un seul courriel à Payton.

Je suis jalouse, admet-elle en son for intérieur. *Il a pu accompagner mon oncle Alfie et pas moi.*

Au cours des deux derniers étés, les jeunes Ballantyne ont travaillé avec leur oncle, au musée national de Londres. Cette année, Alfred Ballantyne n'a pu emmener qu'un assistant pour effectuer une fouille archéologique en Syrie. Il a choisi Payton. C'est ce qui a mené Adriana à l'institut Poséidon. C'était son prix de consolation.

Allô Adie.
Je m'excuse de ne pas avoir écrit plus tôt. Oncle Alfie me tient pas mal occupé, mais ce n'est pas une excuse. Personne ne peut creuser vingt-quatre heures par jour, même dans le désert, où il n'y a rien d'autre à faire.
Deux épaves! Et je suis coincé ici, où ça prend onze heures à brosser les sédiments d'un vieux pot. Tu dois vraiment t'amuser...

Elle se demande s'il serait toujours envieux s'il savait que le capitaine est mort et que Star ne marchera peut-être plus jamais.

En tout cas, voilà : oncle Alfie m'a parlé du problème du manche en os. Pourquoi un artéfact anglais sur un galion espagnol? Eh bien, j'ai navigué un peu sur le Web. Devine quoi? Toute une flotte de

corsaires anglais a été pris dans l'ouragan qui a coulé le <u>Nuestra Señora</u>. Et ce
n'est pas tout.
Va voir à l'adresse Internet en dessous.
On verra si tu arrives à la même conclu-
sion que moi. Alors, je saurai que je ne
suis pas fou...

Adriana est un peu ennuyée. Pourquoi faut-il que
Payton soit toujours au centre de tout? Il est presque à
l'autre bout du monde!

Mais comme elle est intriguée, elle déplace sa
souris et clique sur le lien.

Il s'agit d'un site exploité par le ministère du Com-
merce extérieur de la Grande-Bretagne. On peut y voir
le registre des expéditions anglaises de 1665, l'année
où la tempête a coulé le *Nuestra Señora*.

Selon ce registre, une flotte de corsaires aurait en
effet quitté le port de Liverpool, en avril de cette même
année. Neuf des onze navires ont survécu à la traver-
sée de l'Atlantique et ont réussi à attaquer une colonie
espagnole de Portebello. La tempête s'est abattue sur
eux en septembre, près des célèbres hauts-fonds
cachés. Là, le vaisseau amiral anglais, un trois-mâts
baptisé le *Griffin*, a coulé avec tout son équipage.

Adriana s'assoit au fond de sa chaise et fronce les
sourcils. Où Payton veut-il en venir? Croit-il que l'épave
plus profonde pourrait être le *Griffin*? Que le manche
aux initiales J.B. viendrait de là?

Mais ça ne tient pas debout. Star a trouvé l'artéfact dans l'épave du *Nuestra Señora*, plus haut sur le récif.

Tout à coup, tout devient clair.

Le plus grand mystère dans toute cette histoire n'est pas le manche, mais bien ce qui est arrivé au somptueux trésor du galion. Soudain, Adriana a la réponse.

Bien que les corsaires aient été subventionnés par les gouvernements, ils étaient en fait de simples pirates. Leur mission consistait à attaquer, piller et couler les expéditions menées par les ennemis de leur pays.

Si le *Griffin* avait rencontré le *Nuestra Señora de la Luz* en pleine mer, il l'aurait attaqué. Et s'ils avaient réussi à se l'approprier, les corsaires auraient volé jusqu'au dernier sou trouvé à bord.

Et si l'ouragan de 1665 avait détruit les deux vaisseaux? L'un, un galion espagnol avec sa cargaison vide, sombre sur le récif. Et l'autre, un trois-mâts anglais, le butin le remplissant jusqu'au plat-bord, coule non loin de là, dans des eaux plus profondes, un peu au large des hauts-fonds.

— Bravo, Payton! s'exclame-t-elle à voix haute.

C'est une théorie incroyable, brillante. Elle explique tout : pourquoi on ne réussissait pas à trouver de trésor sur le site du *Nuestra Señora* et pourquoi tout indiquait que le trésor était dans la seconde épave, plus bas.

C'est parfait, se dit Adriana, mais c'est simplement une théorie. Il n'y a toujours pas de preuve que l'autre bateau est vraiment le *Griffin* ou qu'il a été en contact avec le *Nuestra Señora*. Adriana revient sur terre; l'euphorie la quitte. La logique de Payton est inspirée, probablement même juste. Mais elle demeure incomplète.

Adriana est sur le point de fermer l'outil de navigation de son ordinateur quand elle aperçoit un petit détail sur le site Web britannique.

Selon le registre, le *Griffin* était sous le commandement du capitaine James Octavius Blade.

James Blade.

J.B.

CHAPITRE ONZE

Une étrange procession marche dans le couloir de l'hôpital de la plate-forme. Star est au centre, avançant à petits pas et se tenant aux poignées d'une marchette. Kaz, Adriana et Dante suivent son rythme lent en se penchant pour mieux suivre la conversation étouffée.

— Le capitaine James Blade, chuchote Star. Incroyable! Je me demande à quoi il ressemblait? Peut-être un vieux marin grisonnant, plein de bonté, qui marchait en boitillant avec une canne au manche en os.

— C'était un corsaire, Star, lui rappelle Adriana. Ils étaient aussi méchants que les pirates, et quelquefois pires. Le capitaine boitillait peut-être, mais il était sûrement pas plein de bonté.

— C'était peut-être un fou avec un fouet, lance Kaz.

— L'important c'est qu'il était un fou riche, ajoute Dante. Ou il l'aurait été si son bateau avait pas coulé. Pouvez-vous vous imaginer comment il a dû se sentir? Tous tes rêves se réalisent, puis...

— Moi, je le peux, dit Star d'une voix enrouée. Je plongerai plus jamais.

Kaz n'a pas l'intention d'être brusque, mais la pensée de Drew Christiansen déclenche en lui une avalanche d'émotions.

— Tu trouves pas que tu exagères un peu? Tu pourrais être dans un fauteuil roulant à l'heure qu'il est!

Les yeux de Star jettent des éclairs, mais elle hoche tristement la tête.

— Je sais que j'ai vraiment de la chance.

— Quand est-ce que tu retournes aux États-Unis? demande Adriana.

— Vendredi matin. Poséidon veut pas que je prenne le catamaran; alors, il faut qu'on attende qu'un hélicoptère de la plate-forme nous emmène en Martinique.

— Je peux pas croire que tu t'en vas, dit Kaz.

— Mon père peut pas s'absenter de son travail plus longtemps, marmonne Star. Y'a pas d'hélicoptère tous les jours. Il faut prendre celui-là.

Ils hochent la tête tristement.

— L'embêtant dans tout ça... commence Star en les regardant à tour de rôle, c'est que les gens comme Cutter, les chasseurs de trésor, passent des décennies à chercher, pour rien. Mais grâce aux yeux de Dante, aux méninges d'Adriana et aux tripes de Kaz, on a réussi l'impossible. Écoutez, on a trouvé deux aiguilles dans la plus grosse botte de foin au monde. Si seulement je pouvais plonger, je...

— Tu quoi? insiste Dante. Tu plongerais jusqu'à deux cents mètres et tu reviendrais avec un milliard de dollars? Ça peut pas se faire.

— Moi, je dis que c'est possible, proteste Adriana. L'Anglais en est capable. Les plongeurs de la plate-forme pétrolière descendent aussi creux tout le temps. Comment est-ce qu'ils ont appelé ça?

— La plongée à saturation, précise Kaz. Mais c'est une grosse opération : ça prend une cloche de plongée, des mélanges respiratoires spéciaux, un navire de soutien...

— Peut-être que l'Anglais et ses amis peuvent aller chercher le trésor pour nous, suggère Dante. Pensez-y : 1,2 milliard de dollars, on peut diviser ça de toutes sortes de façons et toujours s'en sortir les poches pleines.

— Tu veux rire? s'exclame Star. L'Anglais déteste les chasseurs de trésor. Pourquoi tu penses qu'il est si fâché contre Cutter?

— On est pas des chasseurs de trésor, se défend Dante. Il se trouve seulement qu'on a entendu parler d'un certain trésor. Et on ferait aussi bien d'aller le chercher parce qu'il rend service à personne en restant dans la boue.

— Et on donne l'argent à des organismes de bienfaisance, bien sûr, ajoute Adriana, sarcastique.

— Qu'est-ce qu'il y a de mal à vouloir de l'argent? rétorque Dante avec brusquerie. Je m'imagine pas ta famille en train de donner ses millions. On peut au moins demander.

— J'ai l'impression qu'on va pouvoir tenter notre chance, fait remarquer Kaz.

Ils sont arrivés à la porte de la chambre d'hôpital de Star. L'Anglais, avec son visage de marbre habituel, est assis sur le bord du lit.

Star pousse sa marchette et entre la première.

— Regardez, je vais de plus en plus vite. Pensez-vous qu'ils organisent un genre de course NASCAR avec ces machins-là?

Le guide de plongée se lève; il domine les stagiaires du haut de ses deux mètres.

— Bon. Vous êtes tous ici. Maintenant, dites-moi... à bord de l'*Octopode*, qu'est-ce que vous avez trouvé exactement?

Adriana lui explique leur théorie des épaves du *Nuestra Señora* et du *Griffin*, du somptueux trésor qui repose dans les ruines du deuxième bateau.

— On en est certains, à quatre-vingt-dix-neuf pour cent. Le manche avec les initiales J.B. le prouve. Le capitaine Blade doit avoir perdu sa canne ou son fouet pendant la bataille sur le *Nuestra Señora*. C'est pour ça qu'on a trouvé un artéfact anglais sur un galion espagnol.

— Un milliard de dollars américains, répète l'Anglais sur un ton grave.

— En fait, 1,2 milliard, corrige Dante.

— On pensait pas que ça vous intéressait, intervient Kaz. Chaque fois qu'on parlait du trésor, vous vous fâchiez. Pourquoi est-ce que c'est si important tout à coup?

L'Anglais pose son menton sur un poing énorme.

— À Poséidon, j'ai vu le nom de monsieur Cutter sur l'horaire de réservation de l'Homme de fer. Un tel équipement ne sert pas à travailler sur le récif. Je pense qu'il va tenter de mettre la main sur le trésor.

— Mais Cutter sait pas qu'il y a un deuxième bateau, maintient Kaz.

— Il en sait peut-être plus que vous le croyez.

L'Anglais fait une pause; il hésite.

— Vous ne devez pas tirer de conclusions trop vite. Mais vous devriez savoir une chose : les dommages à l'*Octopode* n'ont pas été causés par l'attaque du requin. C'était un sabotage.

Il leur explique qu'il a vu des bosses sur les plaques de fibre de verre recouvrant la sonde de température du submersible.

Les stagiaires sont horrifiés.

— Cutter! s'écrie Adriana. Il a tué le capitaine!

— Il aurait pu nous tuer tous, ajoute Star. Et il m'a pratiquement clouée à un fauteuil roulant.

— J'ai toujours su que c'était un salaud, lâche Kaz. Mais j'aurais jamais pensé que c'était un assassin.

— Je n'ai aucune preuve, dit l'Anglais d'un ton sévère. Quand je lui ai parlé, il a semblé très surpris. Une condamnation sans procès – ce n'est pas civilisé.

— Mais alors, comment est-ce qu'il pourrait savoir qu'il y a une autre épave? insiste Dante.

— On a un dicton : sur une petite île, tout le monde connaît la taille de tes sous-vêtements. Je vais vous dire un secret : sur Saint-Luc, les secrets n'existent pas. Moi, je n'accuse pas monsieur Cutter de meurtre, pas encore. Alors, comment il a appris l'existence de ce trésor n'est pas important. Je pense qu'il va plonger samedi, pour essayer de le récupérer.

— Il faut qu'on l'empêche, s'exclame Star, d'un air déterminé. Autrement, on le laisse s'enrichir en profitant de la mort du capitaine.

— L'empêcher, répète l'Anglais. Mais comment?

— En mettant la main sur le trésor avant lui, soutient Kaz. Vous savez faire de la plongée à saturation. Je sais où est l'épave. J'y vais avec vous.

— C'est un non catégorique.

— J'ai réussi à descendre jusqu'à cent mètres. Je peux faire ça aussi.

— Tu es brave, monsieur, dit l'Anglais en hochant la tête. Mais tu es un garçon, et aucun garçon n'est prêt pour la plongée à saturation.

Kaz relève le menton.

— Je peux plonger avec un casque; je peux manipuler un tuyau à air; je peux m'asseoir dans une chambre de décompression et décompresser…

— Ah, oui, l'interrompt l'Anglais. Tu peux apprendre toutes ces choses. Mais je vais te poser une question. Tu es sur mon île depuis plus d'un mois, n'est-ce pas? Combien de vieux plongeurs as-tu vus? Et les hommes qui vivent toujours boitent; ils souffrent à cause du mal des caissons, de l'arthrite, de blessures. Vous êtes des enfants d'un pays riche, où le danger est pour les casse-cou. Moi, je dois faire ce travail-là; je ne peux pas jouer à la bourse sur Wall Street. Vous avez le choix. Soyez intelligents.

— C'est la seule façon d'arrêter Cutter, insiste Kaz. Et vous pouvez pas le faire sans moi.

SOUS LA MER

— Ni moi, ajoute Adriana. C'est un trésor espagnol pillé dans l'épave d'un corsaire anglais! De l'histoire vivante! Il faut que je participe.

— Pas moi, dit Dante. Je vais faire ce que je peux. Je vais donner un coup de main sur le bateau. Mais j'ai juré que je plongerais plus jamais.

— Bravo, approuve l'Anglais. Toi, au moins, tu es intelligent.

— Ça peut marcher, insiste Kaz. Vous savez que c'est possible.

L'Anglais réfléchit.

— On aura besoin d'un bateau, dit-il enfin. Une cloche de plongée. Une équipe en qui on peut avoir confiance. Très difficile...

— Mais pas impossible, conclut Kaz.

Le guide prend une profonde inspiration.

— Je vais essayer.

Star s'assoit sur le lit.

— Je peux pas croire que je descendrai pas avec vous.

— On va t'envoyer des courriels, lui promet Adriana. Tu auras tous les détails.

Star regarde les amis qui ont été plus proches que de la famille au cours des dernières semaines.

— Vous allez me manquer, leur dit-elle d'un ton posé. J'espère qu'on pourra trouver un moyen de rester en contact quand on rentrera à la maison.

— Si ça marche, on sera millionnaires, lui rappelle Dante. Des billets d'avion, c'est des miettes, comparé à la petite fortune qu'on va avoir.

Star s'étouffe en constatant que c'est vraiment un adieu.

— J'échangerais toute cette fortune contre une chance de plonger une dernière fois avec vous.

8 septembre 1665

Samuel a déjà goûté à la bataille, mais la longue et lente approche vers le galion fait monter en lui une terreur paralysante qu'il n'aurait pas cru possible.

— Pourquoi est-ce qu'ils s'enfuient pas? murmure-t-il à York. Ils tirent pas sur nous? Est-ce qu'ils savent ce qu'on veut faire?

— Regarde comment il prend de la gîte, le mousse, fait observer le barbier. Il s'est échoué. Un récif, peut-être. Dans ces eaux, il faut se méfier des hauts-fonds.

Soudain, les canonnières du galion se mettent à cracher de la fumée et des flammes. Le rugissement de la volée résonne sur l'eau. Avec un bruit perçant, un coup meurtrier atteint le trois-mâts. Dans un craquement sinistre, un boulet de canon fracasse une section de la poupe, bien au-dessus de la ligne de flottaison. Le pont s'affaisse – un trou d'un mètre de diamètre environ – et une poignée de marins glissent dans la cale. Mais la plupart des projectiles volent au-dessus du Griffin et disparaissent dans l'eau.

Samuel attend la riposte des canons du navire. Puis il remarque que tous les canonniers sont rassemblés avec la force d'assaut, épée et mousquet en main. Le capitaine n'a aucunement l'intention de couler le galion, pas avant que le trésor soit bien à l'abri à bord de son propre vaisseau.

Le Griffin se range le long du galion, les grappins volent. En moins de deux, une foule de corsaires lourdement armés grimpe le long des câbles à toute vitesse pour atteindre les ponts supérieurs du galion. Des troupes espagnoles en casque d'acier les attendent là. On entend des coups de mousquet, et des marins avec lesquels Samuel a cassé la croûte pendant des mois tombent sans vie à la mer.

La deuxième vague de corsaires surprend les défenseurs en train de recharger leur arme. Les Anglais déferlent sur le pont. Les épées se croisent. Des hommes tombent. C'est une lutte à mort.

Au Nouveau Monde, tout le monde sait qu'un galion espagnol est une cible facile pour les corsaires et les pirates. Les bateaux sont surchargés et lents. Les marins ne sont pas entraînés à se battre et les soldats, sous-payés et, sous-alimentés, ne demandent qu'à se rendre.

Personne n'a transmis cette information à l'équipage du Nuestra Señora de la Luz. Les défenseurs – marins, soldats et passagers – luttent comme des lions. Le trésor dans leur cale est la propriété de Sa Majesté Catholique, le roi Carlos II, et aucun pirate anglais ne va s'en emparer.

Samuel n'a pas levé son épée à Portebello, mais aujourd'hui, il se bat sur le pont du galion. Il le fait pour sauver sa vie. À tout moment, de l'acier coupant comme un rasoir fend l'air dans sa direction ou une balle de mousquet siffle à son oreille. Au meilleur de sa connaissance, il n'a blessé personne. Il utilise son arme uniquement pour se protéger des coups portés contre lui.

Mais ça ne l'empêche pas d'être couvert de sang. Il y en a partout; il gicle et éclabousse comme de l'eau. Il coule à flot sur le pont, un torrent qui se déverse par-dessus le plat-bord jusqu'à ce que la mer tout autour soit envahie de requins, que le goût et l'odeur de sang frais rendent frénétiques.

Au milieu de ce carnage, le capitaine James Blade se bat, une forte-épée dans une main et son fouet au manche en os dans l'autre. Samuel sait qu'il se glorifie de la bataille et y prend même plaisir. Pourtant, tandis qu'il agite les bras, son visage exprime la peur la plus totale. Il vient d'entrevoir la possibilité de perdre cette attaque. C'est une pensée qui n'a jamais auparavant traversé son esprit arrogant.

Mais les corsaires n'ont pas parcouru la moitié du monde rien que pour échouer, alors que leur récompense se trouve sous les planches du pont, juste sous leurs pieds. C'est grâce à leur volonté inflexible que le cours de la bataille change en leur faveur.

Il y a à peine une heure, quatre-vingt-sept corsaires se sont lancés dans la bataille. Il reste moins de quarante hommes quand le commandant espagnol tend son épée au capitaine Blade, geste signifiant la capitulation du Nuestra Señora de la Luz.

Blade accepte l'épée dans une rage sourde. Il soulève son fouet et se met à frapper le commandant en le maudissant d'avoir opposé une telle résistance.

Un jeune Espagnol, le capitaine en second, se jette sur Blade, tant il est furieux que le capitaine se conduise d'une manière si indigne. Il parvient à arracher le fouet des mains du corsaire et le lance par-dessus bord avec mépris.

Samuel ne comprendra jamais ce qui lui donne, à ce moment-là, le courage de s'avancer et d'essayer de calmer son capitaine.

— Vous avez gagné, capitaine. Le trésor est à vous. Vous pouvez acheter un millier de fouets avec des pierres encore bien plus grosses que celle-là.

Les mots réussissent à apaiser le capitaine. Mais ça ne l'empêche pas d'ordonner que chaque homme, femme et enfant à bord du galion soit lancé aux requins.

CHAPITRE DOUZE

Debout à la proue du *Bourlingueur*, l'Anglais examine le ciel qui se couvre.

Il y a du mauvais temps à l'horizon, mais ça ne nuira pas aux plongeurs. Les conditions de surface n'ont aucune importance quand ils sont à deux cents mètres de profondeur. Mais pour le bateau, vieux de soixante ans, c'est une tout autre histoire. Le *Bourlingueur* est plat et ressemble à une péniche. Il navigue à ras d'eau comme un chaland à ordures, même sur une mer calme. Qui sait comment il réagira dans une tempête?

Mais le bateau a deux choses en sa faveur : il peut transporter une cloche de plongée et il n'est pas inscrit au calendrier de travail de la Société des Antilles. Pour un travail non officiel comme celui-ci, l'Anglais avait besoin d'un bateau dont personne ne remarquerait l'absence.

La silhouette de deux mètres frissonne légèrement dans le vent debout. L'anxiété n'est pas un sentiment familier pour Menasce Gérard. Il a habituellement une confiance imperturbable en sa capacité de gérer toute situation. Mais il ne se sent pas à l'aise quand il s'agit de la chasse au trésor. Il n'aime pas non plus l'idée de mêler ses collègues de la plate-forme pétrolière à ce plan qui pourrait leur coûter leur emploi. Mais surtout, emmener deux adolescents inexpérimentés à deux cents mètres de profondeur lui semble tout à fait dément. Et pourtant, c'est la seule chose à faire. La vie est tellement bizarre!

Il peut les voir maintenant dans le crépuscule tardif, attendant sur les planches raboteuses de la marina abandonnée. Le port d'Outremont, sur la côte sud de Saint-Luc, n'est plus utilisé depuis des années. Mais c'est l'endroit parfait pour ramasser les jeunes, loin des yeux scrutateurs de Cutter ou de Gallagher, ou de n'importe qui d'autre.

Comme le port n'a pas été entretenu, l'Anglais va les chercher en canot pneumatique.

Dante écarquille les yeux en apercevant le *Bourlingueur*.

— C'est ça, le bateau?

— Tu t'attendais au *Queen Mary*, monsieur? demande l'Anglais sur un ton sarcastique.

Le jeune photographe ne peut pas détacher les yeux du bateau datant de la Seconde Guerre mondiale.

— Est-ce qu'il va flotter?

— Peut-être que tu devrais plonger avec nous, suggère Kaz. Comme ça, s'il coule, tu auras le temps de t'ôter du chemin.

Dante se mord la lèvre.

— Je vais tenter ma chance avec le tas de rouille, répond-il.

Quand ils arrivent sur le pont, l'Anglais présente

les stagiaires au capitaine Bourassa, ainsi qu'à deux autres marins de la compagnie pétrolière. Un équipage de trois est à peine suffisant pour le *Bourlingueur*, mais l'Anglais ne veut pas prendre le risque de mêler trop de gens à leur plan. Les nouvelles se propagent vite sur une plate-forme pétrolière. Les gens parlent. Tout se sait.

Henri Roux, l'ami de l'Anglais, est aussi présent, non pas pour plonger, mais pour gérer, de la surface, les opérations de plongée.

— Tout le monde est là? demande Adriana.

— Il y a quelqu'un d'autre... commence l'Anglais.

— Salut, les amis!

Star sort de la descente aux cabines en boitant juste un peu plus qu'à l'ordinaire.

Les trois autres jeunes la fixent des yeux.

— Tu devais rentrer chez toi, ce matin! s'exclame Dante.

— Je *suis* chez moi, fait Star en souriant à pleines dents. Là où il y a de l'action, c'est chez moi.

— Mais tu peux pas plonger, lance Kaz.

Puis il se tourne vers l'Anglais.

— Vous allez pas la laisser plonger.

— Les nerfs, Kami-Kaz, lance Star pour le calmer. Je suis pas complètement folle. Mais quelqu'un doit veiller sur vous autres d'en haut, s'assurer qu'Henri remplit pas la cloche de plongée de gaz hilarant par erreur.

— Et ton père? demande Adriana. Il fallait pas qu'il retourne au travail?

Star hausse les épaules.

— Je l'ai convaincu de me laisser ici. J'ai reçu mon congé de l'hôpital. Le médecin dit que je suis guérie à quatre-vingt-dix pour cent. Le reste va revenir petit à petit.

— Tu fais des progrès incroyables, remarque Kaz.

— Mais tu boites encore, ajoute Dante, l'air incrédule.

Star prend un air exaspéré.

— Idiot, je suis toujours moi! Le mal des caissons, ça guérit pas la paralysie cérébrale!

L'Anglais s'adresse à Kaz et Adriana.

— C'est le temps de décompresser jusqu'à la pression à laquelle nous allons travailler. Ça va prendre plus de deux heures; alors, il vaut mieux commencer tout de suite.

Le *Bourlingueur* est muni d'une chambre de décompression. L'Anglais, Kaz et Adriana y sont enfermés, et Henri Roux manipule les commandes en augmentant graduellement la pression. Quand la cloche atteindra le site de l'épave, à deux cents mètres de profondeur, les trois plongeurs devront s'être acclimatés au poids écrasant de vingt-deux atmosphères.

Un sifflement continu se fait entendre tandis que le gaz pénètre dans la chambre. Les oreilles d'Adriana lui font mal presque instantanément. Elle se pince le nez et souffle. Elle entend un son perçant lorsque la pression s'équilibre. Elle va devoir répéter ce geste pendant les deux heures et demie qui vont suivre.

Ce que je ferais pas pour l'archéologie!

Le visage de Star apparaît tout à coup à la fenêtre de la chambre.

— Vos oreilles se sont débouchées? demande-t-elle dans l'interphone.

— J'ai l'impression que quelqu'un m'a fait exploser une petite bombe dans le crâne, réplique Adriana d'une voix aiguë.

Quand ils font de la plongée à saturation, les plongeurs respirent un mélange d'hélium et d'oxygène, appelé héliox, qui leur donne cette voix. Kaz se met à imiter Bart Simpson à la perfection, ce qui fait hurler Adriana de rire. À l'extérieur de la chambre, c'est tout juste si Star et Dante ne se roulent pas par terre.

Même la voix de baryton de l'Anglais est perçante et altérée.

— M. Simpson, c'est un plongeur? demande-t-il.

Dante est en proie au fou rire.

— C'est un dessin animé à la télévision!

— Ah, oui. Votre télévision américaine, dit l'Anglais, qui ne sourit même pas. Amusez-vous maintenant parce qu'une fois au fond, il n'y a rien de drôle, seulement du danger.

— On va rester collés à vous, comme de la Krazy Glue, promet Kaz.

— À deux cents mètres, ça ne sert à rien. Avec la bouteille de réserve, vous avez peut-être trois minutes. Si vous regagnez la surface, c'est le mal des caissons qui vous attend, et la mort. Alors, vous avez seulement un choix : la perfection.

— Ah, relaxez, M. l'Anglais, fait Dante sur un ton enjôleur. On va tous devenir riches. Qu'est-ce que vous allez faire avec votre part?

— Je ne ferai rien, s'empresse de répondre l'Anglais.

— Voyons donc, le gronde Kaz. Vous pourriez vous acheter une belle voiture.

— Je ne conduis pas.

— Une grosse maison? lance Dante pour l'encourager à parler. Sur le bord de l'eau, peut-être?

— J'ai tout ce qu'il me faut.

— Et les voyages? suggère Adriana. Vous n'aimeriez pas voir le monde?

L'Anglais hausse les épaules d'un air désintéressé.

— Où vont les gens en vacances? Aux îles. Moi, j'y suis déjà. Mais... ajoute-t-il, l'argent du trésor servira d'abord à rembourser la Société pétrolière des Antilles pour l'emprunt des équipements. Une autre partie devrait aller à la famille de Braden, vous ne pensez pas?

Star hoche la tête.

— Et à Iggy Ocasek. Il nous a aidés à trouver l'épave plus profonde.

— Je vais en donner une partie à un gars de chez nous, déclare Kaz. Un joueur de hockey. Il a... des factures médicales à payer.

— J'ai pas pensé à ce que je vais faire avec ma part, leur dit Adriana. La donner à des organismes de bienfaisance, j'imagine.

Dante roule les yeux.

— Ouais, moi aussi. Je vais donner la mienne à la Fondation Dante.

— Pour l'instant, il n'y a pas d'argent, seulement des mots, lance l'Anglais sur un ton sec. N'oubliez pas ceci... l'or est précieux parce qu'il est difficile à trouver. Et encore plus à garder.

Il faut deux heures au bateau pour atteindre enfin le site de l'épave, à la limite des hauts-fonds cachés. Les trois plongeurs, qui attendent de passer à la cloche, étouffent dans leur combinaison étanche. La cloche de plongée est pressurisée, et reliée à la chambre au moyen d'un tunnel étanche. Les trois plongeurs rampent jusqu'à l'espace exigu qui leur servira de chez-soi au cours des opérations. Ils apportent leur casque.

Dans la cloche sombre et humide, l'odeur fait penser à un vestiaire après une bonne partie : c'est l'odeur de l'effort physique, des corps, de la transpiration. Les murs sont courbés et percés de hublots qui ont tout juste la taille d'un CD. Adriana ne peut pas voir le plancher. Ils s'installent inconfortablement sur des piles sans fin d'ombilicaux enroulés. L'Anglais ferme l'écoutille avec un bruit sourd.

Selon la sonde, la pression est déjà équivalente à une profondeur de cent quatre-vingt-dix mètres. *Ça se passe réellement*, se dit Adriana. *On va vraiment le faire.*

La voix d'Henri leur parvient de l'interphone :

— Est-ce que vous me recevez dans la cloche?

Ils peuvent entendre Dante en arrière qui demande :

— Hé, à quoi ça sert, cet interrupteur-là?

On entend bien distinctement le son sec et net d'une tape, puis la voix de Star :

— Arrête, Dante!

— *Bourlingueur*, on te reçoit, répond l'Anglais en soupirant. Ne laisse surtout pas ce jeune insupportable toucher à quoi que ce soit.

Les puissants projecteurs du *Bourlingueur* s'allument soudain et éclairent la cloche comme un artiste sur une scène. À l'intérieur, des tubes de lumière pénètrent par les hublots ronds. Il y a quelques minutes de vérification d'équipement, suivies du rugissement du treuil. La cloche se soulève du pont en oscillant.

— Parés, dans la cloche.

Une secousse se fait sentir, puis ils se retrouvent dans l'eau et s'enfoncent dans des tons de bleus, qui vont en s'assombrissant.

Adriana est étonnée de voir à quel point la chaleur accablante les quitte rapidement. Elle serre sa combinaison encombrante.

— Est-ce que je suis la seule à avoir froid?

— C'est normal, fait l'Anglais en hochant la tête. Avec l'hélium, le corps perd sa chaleur plus vite qu'avec l'air.

Pendant leur descente rapide, l'Anglais vérifie les ombilicaux, qui sont en fait toutes sortes de boyaux attachés ensemble comme des paquets de spaghettis : alimentation en air, câble téléphonique et cordon de sécurité. Il y a aussi un autre boyau qui permet de pomper de l'eau chaude dans un système de tubes, qui s'entrecroisent sur leur combinaison. Ça les protégera contre le froid glacial des profondeurs marines.

Soudain, l'Anglais annonce :

— Ça y est, nous y sommes.

— Si vite? lâche Adriana.

À deux cents mètres, c'est peut-être un autre monde, se dit-elle. Mais la distance réelle qui nous sépare de la surface est d'à peine un cinquième de kilomètre.

L'Anglais repousse des câbles, des chalumeaux soudeurs et quelques sacs à sandwich de plastique contenant des collations à haute valeur énergétique qui couvrent le sas de la cloche, sous leurs pieds. Il ouvre l'écoutille double, pour révéler de l'eau ayant la couleur de l'espace intergalactique. La noirceur monte soudain comme si elle allait envahir la cloche. Puis la pression s'équilibre et freine la poussée de l'océan.

L'Anglais aide Kaz et Adriana à sceller le gros casque de fibre de verre à leur combinaison avant de mettre le sien. Soudain mal équilibrée, Adriana perd pied et frappe son casque contre le mur de la cloche.

— Ça va, marmonne-t-elle en retrouvant son équilibre.

L'héliox a un goût de métal dans l'espace cloisonné du casque.

— *Bourlingueur*, appelle l'Anglais. Les casques sont mis.

Adriana entend la voix d'Henri dans un petit haut-parleur situé près de son oreille.

— Vérification de la transmission. Tout le monde me reçoit?

— Cinq sur cinq, réplique-t-elle dans le microphone de son casque.

— Même chose ici, lance Kaz. Wow, c'est bien mieux que le scaphandre!

Les trois plongeurs enfilent leurs palmes.

— Nous sortons, annonce l'Anglais.

Puis ils plongent dans une mer noire comme de la mélasse.

CHAPITRE TREIZE

Le poste de plongée sur le pont du *Bourlingueur* est un endroit bien étrange pour un centre de communication. Le grondement des compresseurs dans le local technique est tellement fort qu'il est presque impossible d'entendre quoi que ce soit. Mais Henri, Star et Dante, penchés sur le tableau de bord, écoutent chaque mot qui est prononcé deux cents mètres plus bas.

Ça fait déjà une heure que les plongeurs sont sortis de la cloche, et ils n'ont toujours pas réussi à localiser le site du naufrage.

— Avez-vous oublié? lance Star dans le microphone. Il y avait des débris éparpillés sur la pente, mais l'épave principale s'est échouée sur un genre de plateau.

— On a trouvé la pente, indique Adriana d'une voix altérée par l'hélium, mais on trouve pas le plateau.

— Qu'est-ce que vous voulez dire? demande Dante. Les coordonnées sont exactes, la profondeur aussi...

— Il fait plutôt noir ici, Dante, dit Kaz d'une voix aiguë, où pointe l'irritation. Je peux même pas voir Adriana et l'Anglais quand ils sont pas directement éclairés par une lampe.

— Mais c'est là, s'impatiente Dante. Il *faut* que ce soit là!

— Assez! intervient l'Anglais, dont la voix, même aiguë, reste sévère. Ce n'est pas le temps de se disputer. On cherche. Et si on ne trouve rien, on rentre à la maison. C'est tout ce qu'on peut faire.

— Mais Cutter va prendre l'Homme de fer demain, lui rappelle Dante. C'est dans sept heures!

Star le prend à part.

— Laisse-les travailler en paix, dit-elle tout bas.

— C'est dans sept heures!

— Ils le savent, l'assure-t-elle. Mais ça servira à rien de les affoler...

Dante s'éloigne d'elle sur sa chaise à roulettes et se place devant Henri.

— Je veux descendre.

Le maître de plongée fronce les sourcils.

— L'Anglais a dit...

— Je vois des choses que les autres peuvent pas voir, l'interrompt Dante. Je vais le trouver, le site de l'épave.

— Pas question, lance Star. On peut pas prendre un gars qui est pas à l'aise avec la plongée et l'envoyer à deux cents mètres.

— On le fait quand il est le seul capable de trouver un milliard de dollars!

— De toute façon, il est trop tard, lui dit Star. On a seulement une cloche.

Dante montre du doigt le panier équipé d'un flotteur, qui est suspendu au plus petit treuil, à côté de la grue qui contrôle la cloche. C'est le panier qui doit être descendu jusqu'au site de l'épave et dans lequel sera déposé le trésor.

— Il va descendre de toute façon. Qu'est-ce que ça change si je monte dedans?

— Tu vas devoir descendre très lentement, dit Henri, d'un ton pensif. Deux heures, peut-être davantage.

— Ouais, c'est ça, ronchonne Star en regardant Dante. T'as peur de plonger en scaphandre, mais tu peux rester dans une cage pendant deux heures à regarder l'eau tout autour devenir noire. Tu vas pas réussir, Dante. Tu vas paniquer et faire quelque chose de stupide. Et ensuite, tu vas te tuer, c'est certain.

— Tu penses que c'est ça que je veux? répond Dante avec brusquerie. Tu penses que je veux risquer ma vie et passer quatre jours en décompression? Je serais enchanté de rester en haut pendant que tout le monde plonge. Mais je suis le gars de la situation. Un point, c'est tout.

Henri emmène Dante pour l'aider à s'habiller, tandis que Star annonce le changement de stratégie aux plongeurs.

— Je l'interdis! s'exclame l'Anglais.

Les trois stagiaires lui expliquent que Dante est daltonien.

— Il voit seulement en noir et blanc, dit Adriana, mais il distingue des nuances sous l'eau que personne d'autre peut voir. Si quelqu'un peut trouver l'épave, c'est lui.

L'Anglais est toujours sceptique.

— Et le jeune, il n'a pas peur?

— Il est terrifié, admet Star, mais je l'ai jamais vu aussi déterminé.

— Mon vœu le plus cher serait de descendre avec lui, ajoute-t-elle en soupirant.

— Tu dois faire un peu plus attention aux vœux que tu fais, mademoiselle, lui dit le guide sur un ton solennel.

Dante s'agrippe au panier pour s'empêcher de trembler. Le seul fait d'enfiler tout cet attirail a suffi à faire monter la panique. Il se sent tellement coincé dans la combinaison encombrante qu'il a l'impression d'avoir été momifié. Sans parler du casque, qui lui rappelle un instrument de torture du Moyen Âge. Pendant au bout du cordon ombilical, il se sent comme un ver sur un hameçon.

Ce n'est pas une descente confortable et régulière. On le fait plutôt descendre dans l'abysse par à-coups, qui le font chuter de trois mètres chaque fois. Entre ces chutes, le panier s'arrête pendant quatre-vingt-dix secondes frustrantes. Ces pauses lui permettent de s'acclimater à la pression, puis vient le temps pour le treuil de le descendre un peu plus bas. C'est vraiment lent, mais ce n'est pas le pire. Attendre que le panier se remette à descendre est la pire des tortures mentales.

Au moins, il ne s'ennuie pas. Grâce au système de transmission du casque, il peut entendre ce que disent les autres plongeurs qui cherchent. Henri l'informe constamment des mélanges respiratoires qui changent à mesure que Dante s'enfonce dans l'océan. Et Star le tient occupé en demandant, à chaque fois que le treuil grince :

— Comment ça va, en bas?

— Oh, super, marmonne Dante d'une voix qui, en raison de l'héliox, ressemble étrangement à celle de Mickey Mouse. Une anguille électrique vient de s'enrouler autour de mon casque et maintenant, je reçois Radio Australie.

À plusieurs brasses sous l'eau, Kaz ricane.

— Elle est bonne, celle-là.

— Tais-toi donc, Kami-Kaz, grommelle Star. Je veux seulement m'assurer que tout va bien.

— Bien sûr que ça va pas bien, lui dit Dante. Je suis en train de plonger.

Il commence à faire noir à environ cent mètres. À cent cinquante, Dante a l'impression d'être suspendu dans de l'encre. Sa lampe portative lui permet de voir un peu, mais le cône de lumière qu'elle projette dans le néant semble se rétrécir à mesure qu'il s'enfonce.

J'ai l'impression d'être aveugle. A-t-il vraiment une chance de trouver le site de l'épave dans ce vide?

Il aperçoit les projecteurs de la cloche bien avant que les autres plongeurs puissent le voir, lui. Il est dans le panier depuis tellement longtemps qu'il n'est pas certain que son corps engourdi pourra même bouger. Mais il bouge et, à cent quatre-vingt-quinze mètres de profondeur, il laisse Kaz et l'Anglais le tirer du maillage serré.

L'Anglais détache prudemment Dante des boyaux

de surface et l'attache à un ombilical de la cloche. De cette façon, il va pouvoir retourner à la surface dans la cloche avec les autres plongeurs, quand la mission sera terminée.

O.K., c'est le temps de devenir riche, se dit Dante.

Le bateau qu'ils croient être le *Griffin* a laissé un sillage de débris le long de la pente avant de s'arrêter sur un plateau incliné, à deux cents mètres de profondeur.

Trouve le plateau et tu trouveras le trésor.

Il se joint aux chercheurs, allant et venant au-dessus de la pente d'une monotonie confondante. Il n'aurait jamais imaginé que la visibilité serait aussi mauvaise.

On pourrait passer devant un hôtel cinq étoiles sans le remarquer s'il était pas en plein dans le faisceau de la lampe.

— Qu'est-ce que tu en penses? demande Kaz. Vois-tu plus de choses que nous?

— Noir, c'est noir, réplique Dante sombrement. Que ce soit en couleur ou en noir et blanc.

En fait, il voit probablement moins que les autres. Ses lunettes s'embuent lentement, mais sûrement, dans le casque. Il plisse les yeux en se concentrant sur l'ovale pâle que sa lampe projette sur l'inclinaison boueuse. Une autre heure s'écoule. On dirait plutôt une semaine.

Au moment où il promène son regard sur l'étendue sans fin de sable et de boue, un objet rond passe dans son champ de vision à toute vitesse. Les autres pourraient facilement ne pas l'avoir vu. Mais pour un daltonien comme Dante, ce sont la forme et la texture qui importent. Il revient sur ses pas et ramasse la forme circulaire.

C'est une assiette de métal, en étain probablement. Très vieille, aucun doute là-dessus.

Le cœur battant à tout rompre, il éclaire à gauche. Il ne voit rien que le paysage lunaire du fond marin.

Hein? Mais où est...

En proie au désespoir, il se tourne vers la droite.

L'épave d'un bateau du XVIIe siècle apparaît, tel un fantôme dans le rayon qui perce à peine les ténèbres.

Il tente de crier pour avertir les autres mais, dans son excitation, il se met à tousser et s'étouffe.

— Dante! s'écrie Kaz. Tout va bien?

— Je l'ai trouvée! lance Dante d'une voix rauque, entre deux toux et une bouffée d'hélium. Le plateau! L'épave!

— Ne bouge pas, ordonne l'Anglais. On arrive.

— O.K.

Dante ne peut pas détacher les yeux des restes du vieux vaisseau. C'est presque comme s'il s'attendait à ce que le site disparaisse s'il en détournait les yeux. De la vaisselle, des bouteilles, des mousquets et des casques jonchent le plateau, de même que des articles plus volumineux, tels que des ancres et des tubes de canon. Il y a des pierres de lest un peu partout. Du bois à demi enseveli dépasse du fond de limon; c'est tout ce qui reste de la charpente du navire.

Maintenant, le plus difficile, se dit-il. *Trouver le trésor dans ce chaos.*

Il se laisse tomber à genoux et plonge un bras expert dans la boue molle du plateau. Il le retire et projette sa lumière dans le trou.

Il aperçoit un éclat jaune. Impossible de s'y méprendre.

Dante a une grosse pile de lingots d'or sous les yeux.

CHAPITRE QUATORZE

Il est minuit passé, mais le calme du port de Côte Saint-Luc est perturbé par les vibrations et le rugissement du treuil du R/V *Ponce de León*. La pièce d'équipement de cinq cents kilos, que l'on descend sur le pont de recherche, a l'air de sortir tout droit de *La guerre des étoiles*. On dirait un robot de métal de deux mètres et demi, muni de propulseurs et de mains mécaniques griffues.

C'est l'Homme de fer, la combinaison à une atmosphère de Poséidon, capable d'emmener un plongeur à plus de six cents mètres de profondeur. Tad Cutter a signé le registre de sortie à exactement 00 h 01, samedi matin.

— Je ne vois pas pourquoi ça ne pouvait pas attendre qu'on dorme un peu, lâche Chris Reardon en bâillant, tandis qu'il guide l'énorme combinaison à sa place pour l'emporter au site de l'épave. Cette chose pèse une tonne, grogne-t-il.

— Une demi-tonne, le corrige Marina.

— On l'a pour une journée seulement et je ne veux pas prendre le risque de revenir les mains vides, explique Cutter. Les jeunes nous talonnent. L'Anglais se doute de quelque chose. C'est le temps de réclamer le trésor avant que quelqu'un d'autre le fasse. On y va, ajoute-t-il en faisant un signe au capitaine Bill Hamilton, debout dans la timonerie.

Le tonnerre se met à gronder, pendant que le *Ponce de León* se fraie un chemin hors du port et se dirige vers le large. À l'horizon, des éclairs illuminent le ciel couvert.

Ils ne sont pas encore arrivés au site de l'épave que le capitaine Hamilton éteint les lumières, coupe l'alimentation et appelle ses trois passagers sur le pont.

— Il y a un bateau, en avant, les informe-t-il. On dirait une vieille guimbarde. La compagnie pétrolière en a encore quelques-uns.

— Est-ce qu'ils nous ont vus? demande Marina.

— Je ne crois pas, réplique Hamilton. Aussitôt que le radar les a repérés, j'ai tout éteint. Ils ne nous voient pas encore.

— Tu as fait ce qu'il fallait, approuve Cutter. Restons ici sans bouger jusqu'à ce qu'ils aient passé.

— Ils ne vont pas passer, lui dit Hamilton. Ils ont jeté l'ancre. Et à peu près aux coordonnées exactes que nous cherchons.

— Impossible, lance Reardon, consterné. Il n'y a pas d'huile de ce côté-ci de l'île.

— L'Anglais! souffle Marina. Les jeunes doivent lui avoir dit où se trouve le trésor. Et il a formé une équipe de plongeurs à saturation pour aller le chercher!

Cutter laisse échapper une suite de jurons.

— Ces gars-là sont des professionnels! S'il y a quelque chose à trouver, ils vont y arriver.

— Ça ne fait rien, objecte Marina. S'ils font de la

plongée à saturation, ils vont devoir décompresser pendant plusieurs jours. Tout ce qu'on doit faire, nous, c'est de descendre avec l'Homme de fer et aller chercher une pièce du trésor. Ensuite, la Commission maritime internationale va déclarer que l'épave est à nous. Ça ne change rien si l'Anglais et ses amis vident le bateau. Ils vont seulement nous épargner du travail.

Deux cents mètres plus bas, les stagiaires célèbrent en lançant des cris perçants, en chantant et en sanglotant. On les a rabaissés, ignorés et trompés. Maintenant, enfin, ils ont leur récompense – pas une poule aux œufs d'or, mais presque...

De l'or et encore de l'or!

— Qu'est-ce qui se passe en bas? s'écrie Star. Est-ce que ça va?

— Tu... tu le croiras pas... bafouille Dante. Il faut que tu vois ça...

— Est-ce que quelqu'un peut me dire ce qui se passe?

C'est Kaz qui lui répond :

— Dante a trouvé le Fort Knox.

L'exultation atteint la surface de la mer.

Pendant trois siècles et demi, l'océan a caché ce prix à des armées de chasseurs de trésor, de grands océanographes et de plongeurs professionnels. Mais quatre jeunes stagiaires ont réussi à éclaircir le mystère... avec un peu d'aide de la part d'un Français des Antilles, surnommé l'Anglais. Et du capitaine Vanover, bien sûr.

Le capitaine. C'est la seule note mélancolique dans cette symphonie exultante. Braden Vanover devrait être ici pour partager ce moment triomphal.

Maintenant, il faut s'occuper de récupérer cette découverte spectaculaire. Le capitaine Bourassa déplace le bateau de sorte que la cloche et le panier soient directement au-dessus du plateau. Comme il ne sera plus nécessaire de nager, les plongeurs échangent leurs palmes pour des bottes lestées. Une grosse fortune est enfouie ici même. Il ne reste plus qu'à la déterrer.

C'est comme si, après avoir échappé aux mains des hommes pendant longtemps, le trésor du *Nuestra Señora de la Luz* se livrait soudain dans toute sa splendeur. Kaz et Dante extirpent du fond marin des centaines de pièces et de lingots d'or de toutes les formes et les tailles possibles. L'Anglais donne un coup sec sur ce qui ressemble à une chaîne, pour découvrir qu'il s'agit en fait d'une corde en or mesurant trois mètres. Ils en trouvent des douzaines. Sous ces dernières, Adriana trouve des rivières de perles et des colliers décorés de rubis, d'émeraudes et de saphirs; par comparaison, les bijoux de sa mère ressemblent aux bijoux de pacotille qu'on trouve dans les magasins à rabais.

L'or et les pierres précieuses sont facilement repérables, mais pour l'argent, c'est tout autre chose : il s'est oxydé au cours des siècles passés sous l'eau; les précieuses pièces de huit espagnoles sont donc maintenant des disques noirs sans relief. Elles jonchent le fond comme du gravier.

— Ça prendrait une pelle, lance Kaz en haletant.

Il a perdu le compte du nombre de brassées qu'il a récupérées.

— Ou un bulldozer, ajoute Dante avec exultation.

Même l'Anglais ne peut pas s'empêcher de sourire, lui qui arbore habituellement un air sévère.

— M. Cutter, il va faire une syncope.

— Moi aussi… ajoute Adriana, et mon oncle…

— Je me demande combien ça va prendre de temps pour récupérer tout le 1,2 milliard, dit Dante d'un ton songeur.

— Hier, tu refusais de plonger, fait remarquer Kaz, et maintenant, tu veux rester ici pour toujours?

— Dante, explique Adriana avec patience, le trésor du galion espagnol remplirait le panier cinquante fois.

À la surface, Star intervient.

— Je veux que vous remontiez aussitôt que vous commencerez à vous sentir crevés. Faites pas les héros. Oubliez pas que, pour réclamer l'épave en entier, ça prend seulement un objet.

C'est irréel – une scène tout droit sortie d'un film de pirates. Même la boue sous leurs bottes étincelle, là où des kilos de poudre d'or ont été dispersés par le tourbillon, au moment du naufrage du navire. C'est comme si chaque mètre carré du fond limoneux contenait quelque chose de grande valeur : des médailles et des crucifix incrustés de pierres précieuses, des tasses et des assiettes en argent, des chandeliers en or massif et même des rubans de chapeau et des collerettes galonnés d'or. Dante est déçu quand il constate que le coffret à bijoux qu'il vient de sortir de la boue est en bronze. Puis il ouvre le couvercle et découvre que le coffret est rempli à ras bord d'énormes perles.

Adriana est à genoux, en train de ramasser des pierres précieuses, lorsqu'elle aperçoit une forme étrange, à moitié enfouie dans le sable. Surprise, elle constate que c'est du bois, noirci et rendu dur comme de la pierre par la pression qu'il a subie, au cours des siècles passés dans les profondeurs. Intriguée, elle promène le faisceau de sa lampe sur les contours sculptés et les courbes. L'artéfact est brisé à une extrémité. Elle fronce les sourcils. Pourquoi les angles déchiquetés de la brisure lui semblent-ils si familiers?

Quand elle comprend, elle se met presque à crier, tant elle est stupéfaite. Ceci, constate-t-elle, est la trouvaille la plus étonnante. Ses lourdes bottes s'enfonçant dans la boue, elle transporte la pièce jusqu'au panier et la dépose sur le dessus d'une montagne de richesses qui grossit à vue d'œil. Quand elle relève la tête, elle aperçoit l'intrus.

Il avance vers eux, lentement, mais d'un pas ferme, émergeant des ténèbres dans le cocon de lumière que projette la cloche. Adriana fixe des yeux l'engin blindé qui approche, alimenté par des propulseurs jumelés. Pendant un instant, elle jongle avec la possibilité que les profondeurs la font halluciner. On dirait quelque chose qui vient de l'espace!

Puis elle le reconnaît. C'est l'Homme de fer, la combinaison à une atmosphère de l'institut Poséidon, qui fonce dans l'eau comme un sous-marin humanoïde. Tad Cutter!

Elle essaie de crier pour prévenir les autres, mais ne parvient pas à ouvrir la bouche. Comment le chasseur de trésor va-t-il réagir, à la vue des richesses du *Nuestra Señora de la Luz* que quelqu'un d'autre est en train de récupérer? La cupidité l'a déjà incité à commettre un meurtre.

La combinaison recouverte d'aluminium dépasse le site de l'épave et se dirige vers le panier, à moins de trois mètres d'Adriana. Un bras costaud se déplie et entre dans la cage, puis une main mécanique griffue se referme sur un petit lingot d'or.

Bien qu'Adriana soit terrifiée, ce vol la laisse perplexe. Le lingot a de la valeur, bien sûr. Mais c'est de la petite monnaie comparativement à la fortune que renferme le panier.

Les paroles de Star lui remontent à la mémoire : « Oubliez pas que, pour réclamer l'épave en entier, ça prend seulement un objet. »

On pourrait tout perdre si on l'arrête pas!

Retrouvant enfin sa voix aiguë, elle lance un avertissement grinçant aux autres :

— Cutter!

Mais l'Homme de fer repart déjà, s'éloignant du plateau pour s'enfoncer dans le couvert de l'océan.

L'Anglais enlève d'un coup de pied ses lourdes bottes afin d'aller plus vite et plonge en direction de la combinaison, tel un secondeur. Le système de transmission diffuse clairement son *ouf!* au moment où il l'atteint. Il s'agrippe, essayant tant bien que mal de rester accroché à l'enveloppe métallique.

— Qu'est-ce qui se passe? demande Star, de la surface. Est-ce que quelqu'un a dit Cutter?

Adriana ne répond pas. Elle se rue déjà dans un mouvement maladroit, comme au ralenti, déterminée à porter secours à l'Anglais, que l'hydraulique de l'Homme de fer secoue dans tous les sens, comme une poupée de chiffon. Le guide, qui fait un mètre quatre-vingt-quinze, a l'air d'un enfant à côté de la combinaison de cinq cents kilos.

— Venez nous aider! s'écrie Adriana en se lançant à l'assaut.

Elle attrape une des énormes jambes de l'Homme de fer et s'y agrippe de toutes ses forces.

— La cloche! ordonne l'Anglais d'une voix tendue. Va-t'en à la cloche, vite!

— Non! riposte Adriana d'un ton perçant.

Mais la logique de l'Anglais est évidente. Si lui ne réussit pas à maîtriser ce monstre de la mer, quelle chance a une jeune fille de treize ans?

Mais je peux pas le laisser se battre tout seul!

Dans un effort surhumain, elle grimpe à toute vitesse sur le corps forteresse. Elle peut maintenant voir Kaz et Dante qui traversent le site en pataugeant et se dirigent vers eux en luttant contre le poids de leurs bottes.

Henri crie dans le système de transmission en augmentant le volume chaque fois qu'il ne reçoit pas de réponse.

Les grognements de l'Anglais s'adressent uniquement aux stagiaires.

— N'approchez pas! Allez-vous-en! La cloche...

Adriana se hisse de peine et de misère un peu plus haut, jusqu'à ce qu'elle soit en mesure de regarder dans la bulle de plexiglas de l'Homme de fer.

Elle laisse échapper un glapissement de surprise.

Ce n'est pas Tad Cutter qui est là, essayant de voler leur découverte. Le visage à l'intérieur de la combinaison est celui de Marina Kappas.

CHAPITRE QUINZE

À bord du *Ponce de León*, Chris Reardon, à moitié couché sur le panneau de communication, manipule les interrupteurs et appuie sur les boutons.

— Réponds, Marina! Est-ce que tu me reçois?

À côté, Cutter est assis à une petite table pliante et martèle le clavier du portatif de Marina. Comme elle a reçu sa formation sur les combinaisons à une atmosphère en Californie, les manuels techniques sont sauvegardés sur son ordinateur.

— J'ai tout trouvé sur l'Homme de fer, sauf où huiler les charnières, se lamente-t-il en ouvrant des fichiers à la vitesse de l'éclair. D'après moi, on n'a pas fait d'erreur.

— Alors, elle a tout simplement arrêté de parler, conclut Reardon. J'espère qu'elle va bien.

Il se tourne vers le microphone.

— Dis quelque chose, Marina. On commence à s'inquiéter, ici.

Un éclair illumine le ciel, suivi d'un coup de tonnerre.

— Le temps se gâte, observe Cutter. C'est peut-être ça, le problème.

— On ne sera pas cachés bien longtemps, dit Reardon en fronçant les sourcils. La tempête va nous éclairer.

Cutter ne dit rien. Il fixe l'écran de l'ordinateur, les yeux agrandis d'horreur.

Reardon lui jette un coup d'œil.

— Qu'est-ce qui se passe?

Pour toute réponse, Cutter fait pivoter le portatif, afin que son compagnon puisse regarder l'écran. On y voit le schéma d'un submersible de grand fond.

— Ce n'est pas l'Homme de fer, ça, fait remarquer Reardon.

— C'est l'*Octopode*! s'exclame Cutter.

Reardon est perplexe.

— Pourquoi aurait-elle besoin des spécifications du submersible? On ne s'en est jamais servis.

— L'accident! s'écrie Cutter d'une voix tremblante. L'Anglais a dit que c'était un sabotage! Je pensais qu'il était fou. Mais regarde.

Il va un peu plus loin dans le fichier. Maintenant, l'écran montre un agrandissement des plaques de fibre de verre qui protègent la sonde de température, dans le ventre du submersible.

— Ce sont ces plaques-là qui se sont brisées sur l'*Octopode*.

— Alors?

Soudain, la lumière se fait.

— Tu ne veux pas dire que c'est Marina qui a saboté le submersible? demande Reardon. Mais... Braden Vanover est *mort* dans cet accident!

Cutter a le teint terreux dans l'éclairage artificiel.

— Un submersible doit avoir des dizaines de milliers de pièces. Marina a le schéma de l'une d'elles seulement. Ça ne peut pas être une coïncidence! Comprends-tu ce que ça veut dire? C'est une *meurtrière*!

Cutter est complètement paniqué.

— Et elle est au fond, où il pourrait y avoir des plongeurs! Peut-être que c'est pour ça qu'elle ne nous répond pas. Qui sait ce qu'elle est en train de faire?

— Tad, je suis là-dedans seulement pour l'argent, c'est tout, dit Reardon, qui tremble maintenant. Personne ne m'avait dit que quelqu'un allait se faire tuer!

La décision est déchirante pour Tad Cutter. Un homme est déjà mort et d'autres vies pourraient être en danger. Mais s'il avertit le bateau de la compagnie pétrolière, il va abandonner tout espoir de récupérer le trésor du *Nuestra Señora de la Luz*, une opération qu'il planifie depuis des années.

Il hésite. Un milliard de dollars. Le rêve de toute une vie.

Finalement, il appuie sur l'interphone et s'adresse au capitaine Hamilton dans la timonerie.

— Bill, appelle l'autre bateau.

Il soupire.

— Et tu ferais mieux d'oublier la Ferrari.

Loin sous l'eau, les quatre plongeurs sont cramponnés à l'Homme de fer, dans un effort désespéré pour arracher le lingot de sa poigne de fer.

La voix affolée de Star éclate dans leur casque.

— Qu'est-ce qui se passe, en bas? Est-ce que ça a quelque chose à voir avec Marina?

— Elle a pris de l'or! lance Dante en haletant. Et elle porte une énorme armure!

— C'est une combinaison à une atmosphère, l'informe Star d'un ton urgent. Cutter vient d'appeler pour nous avertir. Il pense qu'elle est dangereuse!

Le bras de l'Homme de fer, qui s'agite dans tous les sens, assène un gros coup au casque de Kaz. Le casque protège le jeune plongeur, mais le coup que lui a porté l'équipement de cinq cents kilos lui fait perdre connaissance. Sous la force, il culbute dans l'eau, entraînant son ombilical à sa suite. Le limon amortit sa chute, mais il ne sent rien de toute façon. Tout devient noir.

L'Anglais sort un long couteau d'un fourreau qu'il porte à sa ceinture lestée.

Adriana, incrédule, écarquille les yeux.

— Ça peut pas passer à travers le métal! s'écrie-t-elle dans un souffle.

Mais ce n'est pas ce que le guide de plongée a en tête. Il coince plutôt la lame dans l'étau de la griffe mécanique de l'Homme de fer. En se servant de l'arme comme d'un levier, il appuie de toutes ses forces. L'acier se brise, mais le lingot se libère d'un coup. L'Anglais laisse tomber le manche du couteau et ramasse le lingot.

— Henri! aboie-t-il, monte le panier!

— Est-ce que tout le monde va bien, demande Star d'un ton suppliant.

— LE PANIER!

La cage se met à monter silencieusement, emportant son trésor vers la surface.

À la vue de cette montagne de richesses qui lui glisse des mains, Marina entre dans une rage folle. Les deux mains griffues s'attaquent à l'Anglais en découpant l'eau. L'une des griffes accroche l'épaule de sa combinaison et transperce le tissu épais, comme si ce n'était que du papier. Le corps du guide est plongé dans une eau glaciale.

— Retournez dans la cloche! ordonne-t-il en frissonnant.

Cette fois, Adriana et Dante ne protestent pas. Ils lâchent l'Homme de fer et se laissent descendre sur le plateau.

Laissé seul devant la combinaison blindée, l'Anglais est dans une position de désavantage. Marina le frappe dans la poitrine avec le coude de l'Homme de fer. Puis la griffe tente d'agripper son casque.

Désespéré, il baisse la tête. C'est en plein ce qu'il ne fallait pas faire. Les pinces s'abattent sur ses ombilicaux et les coupent tous. Une cascade de bulles s'échappe du boyau d'héliox.

Sachant qu'il ne lui reste que quelques respirations dans son casque, l'Anglais réagit vivement. Il s'accroche aux épaules massives de l'Homme de fer et remonte jusqu'au système d'éclairage de la combinaison. Puis il soulève le lingot et fracasse les trois projecteurs, l'un après l'autre.

Marina essaie encore une fois de l'attraper. L'Anglais éteint sa propre lampe et, du coup, disparaît dans l'océan sombre sous ses yeux. Elle ne peut plus voir que la lumière aveuglante de la cloche de plongée. Quelques mètres plus loin, tout disparaît dans les ténèbres.

Retenant sa respiration tandis que son casque se remplit d'eau, l'Anglais fonce vers la cloche. Adriana et Dante sont juste en dessous de l'écoutille, avançant en pataugeant dans leurs bottes. Il les dépasse en trombe et entre précipitamment dans le sas ouvert. Une grande inspiration et il replonge pour les tirer à l'intérieur, en sécurité.

Le pont large et plat du *Bourlingueur* est secoué par la tempête, qui prend de l'ampleur. Une pluie drue tombe à verse sur la station de transmission et le local technique. Des éclairs déchirent le ciel en colère. Le tonnerre enterre le rugissement du treuil, qui hisse le panier rempli de trésors.

Star et Henri s'accrochent aux cloisons en hurlant toujours des questions angoissées aux plongeurs. Jusqu'à présent, ils n'ont eu, pour toute réponse, que des bruits terrifiants de lutte et de violence.

Et soudain, la voix de l'Anglais se fait entendre :

— Vous allez bien? Vous n'êtes pas blessés?

Henri laisse échapper un cri de joie.

— Ils sont retournés dans la cloche!

Il se penche vers le microphone.

— Ici, le *Bourlingueur*. On monte la cloche?

— Non! s'écrie Adriana d'une voix perçante. Kaz est pas là!

— Pas là? répète Star, qu'est-ce que tu veux dire, pas là?

— Marina l'a frappé sur la tête! dit Dante d'une voix rauque. Il nous répond pas! Je pense qu'il est inconscient!

— Moi, je vais le trouver, promet l'Anglais.

— On y va avec vous, s'exclame Adriana.

— Non! rétorque l'Anglais avec brusquerie. Si vous sortez de la cloche, je vous tue moi-même! C'est compris?

Tout à coup, les nuages en ébullition s'éclairent comme en plein jour. Un éclair frappe l'antenne du *Bourlingueur* avec un rugissement fracassant. On dirait un feu d'artifice. Le coup de tonnerre est instantané, et s'accompagne d'une pluie d'étincelles. La foudre voyage à travers tous les systèmes électriques du bateau, grillant les lampes, le radar, le sonar, les panneaux de transmission et les appareils. Même le microphone saute dans la main de Star.

La grue qui contrôle le panier contenant le trésor s'immobilise. Même chose pour les compresseurs d'héliox.

Henri est complètement paniqué.

— La génératrice auxiliaire! Avec les compresseurs éteints, aucun mélange respiratoire ne descend vers les plongeurs.

Attrapant des lampes de poche d'un casier d'équipement d'urgence, il se précipite avec Star dans le local technique. La génératrice auxiliaire, qui a grosso modo la taille d'un lave-vaisselle, a l'air du moteur d'une ancienne voiture.

Déconcertée, Star la fixe des yeux.

— Leur vie dépend de *ça*?

Henri tire sur la poignée de l'étrangleur et donne un coup sec sur une corde, semblable à celle qu'on trouve sur une tondeuse. Comme un vieil homme souffrant d'une toux chronique, l'engin crachote deux fois, puis démarre en émettant un *teuf-teuf*, dans un nuage d'huile qui brûle.

Ils retiennent leur souffle. Quelques secondes plus tard, les compresseurs se remettent à fonctionner à grand bruit.

Star laisse échapper un long soupir de soulagement.

— Maintenant, comment on fait pour rétablir la communication?

— Ça prendrait un miracle, réplique le maître de plongée avec tristesse. Les fils... ils sont finis.

Star a le visage hagard. Il n'y a aucun moyen de savoir ce qui se passe dans l'abysse.

CHAPITRE SEIZE

— Dis quelque chose, Marina. On sait que tu peux nous entendre!

La voix lasse de Tad Cutter résonne à l'intérieur de la combinaison à une atmosphère. Marina continue à l'ignorer, promenant des yeux scrutateurs dans les ténèbres, à la recherche d'un signe du stagiaire manquant. De toute façon, qu'est-ce qu'elle pourrait dire?

Elle se demande comment ses deux partenaires ont appris qu'elle est à l'origine du sabotage de l'*Octopode*. Ça ne fait rien. Ils l'ont déjà dénoncée à l'équipe de l'Anglais, ce qui veut dire que leur association est terminée.

Marina, qui est habituellement si sûre d'elle-même, commence à se sentir mal à l'aise. Les choses ne vont pas comme elle l'avait prévu. Elle a perdu le lingot d'or, la preuve de leur découverte. De plus, le panier a disparu et l'Anglais a détruit le système d'éclairage de l'Homme de fer. Maintenant, elle travaille à l'aveuglette.

— Laisse tomber, la supplie Cutter. Tu nous as déjà mêlés à un meurtre.

Les mots lui échappent avant qu'elle ne puisse les retenir :

— Vous croyez vraiment que je m'attendais à ce

que quelqu'un se fasse tuer? Tout ce que je voulais, c'était de faire rater la plongée!

— Mais pourquoi?

— Parce que nous étions en train de perdre! fulmine-t-elle. Nous perdons encore! Nous nous faisons battre par une bande de petits morveux!

— C'est seulement de l'argent, Marina. Ça ne vaut pas des vies humaines.

— C'est un milliard de dollars! rétorque-t-elle. Ça vaut plus que tout!

À l'intérieur de sa combinaison blindée, elle s'immobilise comme un chien d'arrêt. Là, dans le néant noir des profondeurs de l'océan, une faible lueur vacille.

Le stagiaire qui manque à l'appel.

Le plan se forme dans sa tête. Elle va échanger cet adolescent contre le lingot d'or que l'Anglais lui a enlevé. Il n'est pas trop tard! Elle peut toujours réclamer le trésor!

Tandis que son doigt actionne les commandes miniatures des propulseurs de l'Homme de fer, Tad continue à radoter, disant que tout est fini et qu'elle devrait abandonner.

Elle coupe la transmission. Il n'a plus rien à dire qui soit d'intérêt pour elle.

Kaz se réveille en frissonnant. Il se rappelle la lutte avec Marina dans l'Homme de fer, se souvient très clairement du coup violent qu'elle lui a asséné.

Mais pourquoi est-ce que je meurs de froid?

Il se tortille dans sa combinaison et ne sent pas la chaleur que devrait lui procurer les tubes à eau chaude qui s'entrecroisent dans le tissu. Le coup qu'il a reçu doit avoir endommagé le boyau chauffant dans son ombilical.

Et les communications?

— M. l'Anglais? risque-t-il. Quelqu'un m'entend? Quelqu'un à la surface?

Aucune réponse. Le système de transmission ne fonctionne pas, non plus.

Avec la conscience, il y a aussi la peur qui revient. Il ne peut rien voir dans la mer d'encre, sauf la cloche suspendue dans une couronne de lumière. Aucun signe des autres. Est-ce qu'ils attendent dans la cloche? Est-ce qu'ils le cherchent? Et Marina? S'est-elle enfuie avec le lingot d'or?

Il promène le rayon de sa lampe dans la mer, mais la lumière perce à peine la noirceur.

Puis la cloche illuminée disparaît et l'énorme forme sombre de l'Homme de fer s'avance, menaçante, au-dessus de lui, toutes griffes dehors.

Dans sa fuite, il perd ses bottes lestées, les laissant ancrées dans la boue. Tout en nageant, il constate, la mort dans l'âme, qu'il ne réussira jamais à aller plus vite que les propulseurs de l'Homme de fer. Il lui faut une cachette. Mais où?

Il approche de l'endroit où le plateau s'arrête et où le fond marin remonte abruptement dans la pente qui délimite les hauts-fonds cachés. Il est sur le point d'éteindre sa torche pour essayer de se fondre dans l'obscurité quand il aperçoit ce qu'il cherchait : une large fente, là où se rencontrent le plateau et la pente. Il éteint sa lampe et se faufile à l'intérieur.

La noirceur est totale, presque étouffante. La terreur du moment est tout à fait paralysante parce qu'il se rend compte qu'il ne pourra pas voir les pinces puissantes de l'Homme de fer. Il saura que le chasseur est tout près seulement quand il sera déjà pris au piège.

Il se tapit, se serrant contre le fond boueux pour tenter de se réchauffer et écoute le claquement de ses dents et… un autre son. S'agit-il du vrombissement des propulseurs de l'Homme de fer? Non, ça ne semble pas mécanique. Ça ressemble plutôt à un gargouillis lent et régulier.

Qu'est-ce que ça peut bien être? Y'a rien par ici!

Après ce qui lui semble une éternité, il prend son courage à deux mains et allume sa lampe.

Ce qu'il aperçoit transforme ses membres en plomb et le fait tomber à genoux dans le sable. L'ouverture dans le fond marin forme une grande grotte au fond limoneux et au plafond rocailleux. Il constate que le gargouillis est, en fait, un évent sous-marin, qui lance une explosion de bulles dans la caverne. Mais ce n'est pas ce phénomène naturel qui lui noue l'estomac et lui retourne les entrailles.

Ce sont les requins.

CHAPITRE DIX-SEPT

Kaz en sait beaucoup sur les requins. D'aussi loin qu'il se rappelle, leurs yeux noirs et glaciaux, leur corps en forme de torpille et leur mâchoire béante, remplie de dents aiguisées comme des rasoirs, ont hanté ses rêves. Au fil des années, il a lu et relu sa collection personnelle de livres sur le notoire prédateur marin, et a ainsi alimenté sa phobie, qui est devenue insurmontable, oppressante. Kaz sait, par exemple, que tous les requins doivent nager pour survivre. Il existe une seule exception à cette règle; quand un évent sous-marin crée un corridor de bulles qui peut aérer les ouïes du requin — endormi.

Il y a six animaux rassemblés le long de ce couloir, flottant dans une immobilité parfaite. Cinq sont des requins bleus, d'une longueur de un ou deux mètres. C'est le dernier, le plus gros, qui attire son regard et le remplit d'une horreur indicible.

Clarence, la légende locale, le requin-tigre de six mètres. Deux tonnes de puissance destructrice, avec une bouche assez grande pour avaler, d'une bouchée, un joueur de hockey de quatorze ans.

Pendant des semaines, les stagiaires se sont demandé ce qui retenait ce monstre dans les eaux autour de Saint-Luc, alors que les autres requins-tigres errent dans l'océan. Ils se sont demandé ce qui l'avait attiré dans les profondeurs vides, loin de la nourriture abondante du récif. Le mystère est finalement résolu – c'est cet évent, cet endroit spécial.

Et pourtant, Kaz ne connaît pas de moment d'illumination et ne saisit pas immédiatement la situation. Il constate, trop tard, que le faisceau de sa lampe frappe directement l'œil noir sans paupière de Clarence. La queue en forme de croissant bouge en premier, juste un tremblement. Cette contraction musculaire voyage dans tout le corps. La tête se tourne brusquement vers lui, et Kaz peut ainsi voir au-delà de la forêt de dents acérées, directement dans le gosier caverneux du prédateur.

Le jeune garçon sent qu'il perd contact avec la réalité. À cet instant, il oublie Marina, dans sa combinaison à une atmosphère, et le trésor d'un milliard de dollars. Soudain, son univers se résume tout simplement aux trois mètres d'eau qui le séparent de son pire cauchemar : se faire déchiqueter et dévorer tout entier.

La mâchoire s'ouvre soudain comme une porte de garage et l'énorme requin se lance à l'attaque.

Kaz fait la seule chose à laquelle il peut penser. Il essaie de s'enfoncer dans le sol de la grotte. À son profond étonnement et soulagement, il y a un espace pour lui, une fente dans le roc, sous le limon. Il entre dedans en se tortillant et se fait tout petit.

Le museau plat heurte sa hanche. Kaz sent le coup, puis la douleur. Il attend de se faire croquer, de sentir les mâchoires du monstre le transpercer.

Rien ne se produit. Les dents tranchantes ne peuvent pas l'atteindre! Kaz éteint sa lampe et se recroqueville dans sa minuscule niche, étouffant dans le gouffre de son propre effroi.

Va-t'en! Ce sont les seuls mots qui lui viennent à l'esprit. *Va-t'en, va-t'en, va-t'en.* L'hypothermie et la peur le font trembler, et il s'accroche à sa cachette avec intensité, sans penser. Il ne pense pas aux autres, à la cloche, au secours. Ici, il est en sécurité, ici il est bien. C'est tout ce qui compte.

Le temps passe. Des secondes? Des minutes? Sa terreur est intemporelle.

Ça arrive sans aucun avertissement, sans un sifflement, ni même un clic. Son alimentation en mélanges respiratoires s'interrompt.

Non!!!

Sa première pensée est tout à fait irrationnelle : Clarence, incapable de l'attraper dans la fente, a mordu son ombilical pour le faire sortir.

Impossible! Un requin est trop stupide pour concevoir un plan comme celui-là!

Étonnamment, la crise a l'effet d'une douche froide sur sa panique; la raison reprend le dessus. C'est un problème de plongée et Kaz a reçu une formation pour ça. Il transporte une bouteille d'héliox auxiliaire pour les urgences, juste comme celle-ci. Mais il ne pourra pas l'atteindre sans sortir de la fente.

Il allume sa lampe en faisant une prière muette. Les requins bleus sommeillent toujours dans le corridor de bulles. Aucun signe de Clarence.

De l'eau se met à dégoutter dans le casque, pendant que le gaz restant dans le boyau s'épuise.

En retenant son souffle, il grimpe pour sortir de sa cachette et attache le boyau de la bouteille de secours à la soupape d'aspiration de son casque.

Le goût de métal caractéristique de l'héliox. Mais pour combien de temps? À une telle profondeur et une telle pression, le gaz s'envole en un clin d'œil. Cette bouteille pourrait durer une heure à la surface. Mais ici, à vingt-deux atmosphères de pression – il fait le calcul – moins de trois minutes. S'il ne parvient pas à atteindre la cloche dans ce laps de temps, il va mourir.

Il sort de la caverne en pagayant avec les bras et en battant furieusement des jambes. Il donnerait n'importe quoi pour avoir des palmes. Mais ce n'est pas le temps de penser à ça.

La voilà – la cloche qui brille comme un diamant au loin, à gauche. Il pointe son casque dans cette direction et s'élance. Sa vie est en jeu; vitesse maximum sur un minimum d'héliox, c'est ce dont il a besoin pour gagner la partie.

Il respire trop vite, il en est certain.

Mais je peux y arriver!

Une forme sombre se place devant la sphère luisante de la cloche; l'espoir de Kaz s'effondre dans une bouffée du gaz si précieux. L'Homme de fer! Marina Kappas se tient dans le sable du plateau, entre lui et son but.

Tout devient clair. Marina a coupé son ombilical pour le faire sortir de sa cachette. Et maintenant, il nage tout droit dans les puissantes griffes hydrauliques de l'Homme de fer. C'est du pur suicide. Mais il n'a pas le choix. Il est sur le point de manquer d'air. Tout ce qu'il peut faire, c'est de se diriger vers la cloche.

Et de prier.

Une autre demi-bouffée et la bouteille est vide. Kaz avale avec difficulté et continue d'avancer.

Le bras blindé de l'Homme de fer se soulève pour l'attraper. La griffe s'ouvre, prête à frapper.

Un mur d'eau se déplace et le requin-tigre, surgissant des ténèbres, fonce sur eux.

Kaz se fige. Les pinces mécaniques le manquent de peu. La gueule titanesque de Clarence s'ouvre toute grande et se referme sur la carapace de métal de l'Homme de fer. Une seule dent pointue trouve un point faible à l'articulation du genou. Elle s'enfonce entre deux pièces de métal et transperce le joint d'étanchéité de la combinaison.

Il y a un bruit sec, puis le poids de deux cents mètres d'océan pénètre dans l'Homme de fer, avec la force d'un coup de bélier. Marina n'a même pas le temps de crier. Elle meurt écrasée en un instant.

Un aileron pectoral, de la taille d'une portière de voiture, heurte la bouteille vide sur le dos de Kaz et le renverse. Quand il se relève, sa vision s'obscurcit sur les côtés. Il faut qu'il respire... maintenant. Il se sent déjà glisser dans un néant beaucoup plus sombre que les profondeurs.

Une pensée lui traverse l'esprit, sûrement la dernière, se dit-il. Il a survécu à l'Homme de fer, et même à Clarence; et maintenant, il va suffoquer à quelques mètres seulement de l'écoutille ouverte de la cloche.

Quelque chose sous lui le fait remonter. Avec une explosion d'énergie presque inhumaine, Menasce Gérard le pousse dans le sas. Kaz s'écrase mollement sur une pile d'ombilicaux mouillés qui jonchent le plancher courbé.

Adriana et Dante lui arrachent son casque.

Il n'a jamais pris de bouffée d'air plus délicieuse.

8 septembre 1665

Le capitaine James Blade en vient à regretter la décision qu'il a prise de tuer ses prisonniers espagnols. Ce n'est pas qu'il éprouve de la compassion, mais il se rend compte qu'il aurait pu en faire des esclaves pour transporter l'énorme trésor du Nuestra Señora jusqu'au trois-mâts.

Le trésor. Pour quelqu'un comme Samuel Higgins qui n'a jamais eu plus de quelques sous dans ses poches élimées, la cale du galion est comme la salle des comptables du roi. Il ne peut sûrement pas y avoir plus de richesses sur toute la terre. Les pièces de huit en argent brillant font une montagne trois fois plus haute que le plus grand des hommes du Griffin. Il y a assez de lingots d'or pour construire un palais. Des perles et des pierres précieuses débordent d'énormes coffres. À eux seuls, les objets éparpillés sur le pont, reposant là où ils sont tombés comme s'ils étaient des rebuts, pourraient servir à acheter et à vendre des empires.

Les lingots d'or sont les plus lourds. Chacun semble peser quatre fois plus qu'il ne le devrait et même la plus petite brassée est presque trop lourde pour les corsaires exténués et blessés. Il ne reste plus que quarante hommes. De ce nombre, cinq sont trop gravement blessés pour travailler. Une chose est certaine, par contre : il n'y aura plus d'amputations, maintenant. York, le barbier, est tombé au cours de la bataille pour prendre le Nuestra

Señora; *une balle de mousquet lui a transpercé le cœur.*

Samuel remercie Dieu que le fouet au manche en os ait été lancé à la mer parce que les hommes y auraient sûrement goûté, à un moment ou un autre pendant leur labeur. Le travail est lent et le capitaine n'est pas un homme patient.

Pendant que le soleil se lève au-dessus du bout de vergue et se met à briller, Blade se tient sur la passerelle de fortune qui relie le Griffin au pont beaucoup plus haut du galion. De cette position avantageuse, il prend en note chaque pièce de monnaie et chandelier, maudissant et réprimandant les marins qui portent le fardeau de ses nouvelles richesses.

— Grouillez-vous, bande de saligauds! Je veux qu'on soit à des jours d'ici quand la flotte espagnole viendra chercher cette barge pouilleuse!

Le capitaine ne prend même pas le temps de descendre le trésor dans la cale du navire, tant il est pressé de partir. Maintenant que les richesses de l'Est et du Nouveau Monde sont empilées un peu partout sur le pont, parmi les câbles enroulés et les barils d'eau, il donne l'ordre de mettre le feu au Nuestra Señora de la Luz.

Le crépuscule s'installe quand le Griffin s'éloigne du galion en flammes. James Blade marche de long en large sur le pont en gloussant, l'air triomphant.

—Le Chanceux, c'est un nom qui te va bien, le mousse. La fortune m'a souri le jour où tu es monté à bord de ce vaisseau.

Une silhouette apparaît soudain dans la fumée du bateau en feu. L'Espagnol n'est guère plus âgé que

Samuel, un mousse qui s'était caché tout en bas, dans les nombreux ponts inférieurs du galion.

Avec un hurlement de défi, le garçon fait tournoyer un pot à feu en céramique, tout fumant, dans une fronde, au-dessus de sa tête. L'arme flambante est projetée dans les airs, laissant une traînée orange dans le ciel qui s'assombrit. Chaque personne à bord du Griffin l'aperçoit, mais personne ne peut l'arrêter. Elle tombe sur le pont à moins de trois mètres du capitaine Blade et de Samuel. Aussitôt que le pot de terre cuite se fracasse, les allumettes en flammes allument la poudre à canon bien tassée à l'intérieur.

On entend une détonation quand l'engin explose en projetant du poix chaud dans toutes les directions. Des cris de douleur montent de l'équipage, au moment où le souffre brûlant asperge la peau dénudée. Samuel sent une brûlure sur sa joue imberbe. Le capitaine hurle sa fureur angoissée.

Tandis que les braises fusent, une simple particule de soufre enflammé trouve l'endroit où le pont s'est effondré, à l'arrière du trois-mâts. Juste en dessous sont entreposés les barils de poudre du navire.

Aucune armée n'aurait pu avoir l'effet de cette petite flamme qui se pose sur le baril volatile entreposé avec vingt-deux autres.

Le Griffin explose en mille miettes. En quelques secondes, Samuel se retrouve dans l'eau. C'est aussi rapide que ça.

Comme la plupart des membres de l'équipage, il ne

sait pas nager. *Il se débat dans les vagues en barbotant furieusement pendant à peine quelques secondes, avant de couler.*

Alors, ça y est, *se dit-il.* C'est un endroit bien étrange pour mettre fin aux jours d'un petit grimpeur de cheminées anglais.

Cette période de sa vie n'a pas été heureuse. Et pourtant, tandis qu'il s'enfonce dans la noirceur, il se rend compte avec regret à quel point il veut vivre.

Soudain, un objet dur remontant à la surface le frappe en plein sur la poitrine. D'instinct, il s'y cramponne et se fait porter vers le haut. Il surgit des flots en haletant et en s'étouffant, puis examine l'objet qui le fait flotter. C'est un morceau de la figure de proue du bateau, qui s'est cassé au moment de l'explosion.

— Le mousse... Samuel! Par ici!

Pas très loin de lui, le capitaine se débat dans l'eau, essayant tant bien que mal de nager.

Samuel le regarde fixement. Personne d'autre n'appelle à l'aide; il ne voit aucun autre marin dans l'eau, tentant de sauver sa vie. Des quarante hommes, lui et Blade sont les deux seuls survivants.

— Samuel... tiens bon et viens par ici!

Dans ces circonstances des plus épouvantables, Samuel se met à penser aux prisonniers espagnols tués, aux victimes de Portebello, à l'équipage maltraité du Griffin *et à Evans, le voilier, mort aux mains cruelles de cet homme.*

— Vite, garçon! Ton capitaine a besoin de toi!

Sans aucune hésitation, Samuel se met à pagayer dans

la direction opposée. Il ne fait pas attention à la volée de menaces et de jurons qui lui sont lancés. Quand la tirade s'arrête, Samuel se retourne, pour constater que James Blade a disparu dans la mer.

CHAPITRE DIX-HUIT

L'aube pointe à travers le ciel couvert, tandis que la tempête se déplace vers la Martinique et plus à l'est. Le capitaine Bourassa et l'équipage réduit à bord du *Bourlingueur* se mettent à réparer les systèmes électriques qui ont grillé.

Star arpente le pont comme un lion en cage. Elle se déplace si rapidement et avec une tension tellement sinistre que c'est à peine si on remarque qu'elle boite. Quatre heures se sont écoulées depuis la dernière communication avec la cloche. À ce moment-là, les plongeurs étaient pris dans un combat à mort contre un adversaire dans une combinaison de cinq cents kilos.

— Est-ce que la communication va être rétablie bientôt? demande-t-elle pour la cinquième fois en une heure.

Henri a ouvert le panneau et est en train de souder des fils brûlés.

— Ça n'ira pas plus vite si tu passes ton temps à le demander, réplique-t-il. Écoute, l'Anglais est le meilleur. Si quelqu'un peut ramener tes amis...

C'est ça, le problème, se dit Star. L'Anglais est un plongeur formidable, mais il est pas tout-puissant. Si quelque chose leur est arrivé, je me pardonnerai jamais d'avoir survécu!

Quelle tournure bizarre : attraper le mal des caissons lui a peut-être sauvé la vie.

Elle ronge son frein et fronce les sourcils tandis que le *Ponce de León*, qui sort de la brume matinale, approche du *Bourlingueur*. Quand il se range près du vieux bateau, elle distingue Cutter et Reardon sur le pont.

Un profond ressentiment envahit Star. Cutter est l'ennemi depuis le début. Pourquoi lui ferait-elle confiance maintenant? Il est vrai qu'il les a prévenus au sujet de Marina. Mais il s'agit peut-être d'une ruse. Un panier rempli d'une fortune est suspendu dans l'eau, immobile quelque part sous le *Bourlingueur*, attendant que le treuil se remette en marche. N'importe quel objet dans ce chargement pourrait servir de preuve en cour à un chasseur de trésor qui veut réclamer l'épave.

À ce moment-là, Star ne sait pas quelles épreuves ses amis peuvent avoir subies, ou même s'ils sont morts ou vivants. Mais elle est certaine d'une chose : ils ne le lui pardonneront jamais si elle laisse leur découverte tomber entre les mains avides de Tad Cutter.

Elle regarde le treuil en plissant les yeux, essayant d'évaluer la quantité de câble qui est enroulé autour de la roue. Le panier n'est sûrement pas bien loin sous la surface maintenant.

Tandis qu'elle descend l'échelle menant à la plate-forme de plongée, les paroles du médecin lui résonnent à l'oreille : « Il ne faut plus que tu plonges. Si tu attrapes le mal des caissons une autre fois, tu devras passer le reste de tes jours en fauteuil roulant. »

Désolée, mais il faut que je fasse ça à tout prix.

Et elle saute à l'eau.

Ses craintes disparaissent dès que l'eau se referme sur elle. Comment est-ce qu'un milieu où elle se sent tellement à l'aise pourrait-il lui faire du mal? Elle retient son souffle et descend sans effort le long du câble du treuil. Elle garde les yeux ouverts prenant presque plaisir à sentir la piqûre du sel. L'eau est claire et tout à fait lumineuse, malgré le fait que le soleil n'a pas encore éliminé la brume matinale.

Enfin, le panier apparaît à environ douze mètres de fond. Quand elle l'aperçoit, son cœur s'arrête presque de battre.

Oh, mon Dieu! Je savais qu'ils avaient trouvé un trésor, mais ça, c'est la caverne d'Ali Baba!

L'argent noircit; les perles et les pierres précieuses perdent leur lustre. Mais de l'or reste de l'or. C'est tout à fait spectaculaire – quelque chose qui sort tout droit d'un conte de fée.

Elle ramasse un chandelier en or massif et s'apprête à saisir une rivière de perles pour l'enrouler autour de son cou.

Sa main s'immobilise. Non. Seulement *une* preuve. Rien de plus. Elle s'élance vers la surface en battant des jambes.

Quand elle grimpe à bord, elle est complètement euphorique. Aucune douleur, aucune raideur. Star Ling est redevenue une plongeuse.

Elle est assise sur la plate-forme à reprendre son souffle quand le parachute ascensionnel surgit des

vagues en plein où elle nageait il y a quelques secondes. En appelant Henri à grands cris, elle prend une
gaffe sur le support et repêche le flotteur qui ballotte.

Star reste bouche bée. Un simple sac à sandwich y
est fixé avec du ruban imperméable. À l'intérieur du
plastique transparent se trouve un morceau de papier
déchiré, avec le message suivant : ÉQUIPE VA BIEN.
REMONTEZ LA CLOCHE.

Son cœur se gonfle. Ils sont en vie! Par contre...

Comment va-t-on faire pour remonter la cloche sans
électricité?

À cet instant, Cutter sort de la brume; il pilote le
canot pneumatique en direction du *Bourlingueur*.

— Est-ce qu'on peut vous aider? lance-t-il.

Quand la cloche de plongée sort finalement de
l'eau, l'Anglais et les trois stagiaires sont étonnés de
constater qu'on les dépose sur le pont du *Ponce de
León*, et non sur leur propre bateau.

Qu'est-ce qui se passe? Ils ont échappé de justesse
à Marina, et voilà qu'ils sont livrés aux mains de Cutter
et Reardon?

Heureusement, Star est là pour expliquer la situation dans l'interphone.

— Croyez-le ou non, mais je pense que Cutter est
notre ami, maintenant. Il est un chasseur de trésor et un
démolisseur de récif, mais il savait pas ce que Marina
faisait. Et quand il a su, il nous a avertis tout de suite.

— Marina s'en est pas sortie, dit Kaz d'un ton
calme.

Il ne donne aucun détail. Il lui faudra du temps avant d'être prêt à parler de cette aventure particulière.

— De toute façon, Cutter nous emmène à la plate-forme, conclut Star. Le capitaine Bourassa va nous rencontrer là. Il faut qu'il passe très lentement au-dessus du récif parce qu'il y a des millions et des millions de dollars qui pendent en dessous du *Bourlingueur*.

L'Anglais lui jette un regard furieux par le hublot.

— J'espère que c'est quelque chose que tu as seulement déduit, mademoiselle aux cheveux mouillés, et que ce n'est pas parce que tu as été assez bête pour plonger là.

Ils sont environ à mi-chemin de la plate-forme quand les hélicoptères commencent à arriver, remplissant le ciel de leur rythme pétaradant.

— Ça brasse à la plate-forme, observe Dante en les suivant du regard.

— Un milliard de dollars... beaucoup de zéros; ça attire beaucoup d'amis, constate l'Anglais en émettant un rire forcé.

Adriana regarde, bouche bée, les appareils qui remplissent le ciel au-dessus de Saint-Luc, comme des corbeaux décrivant des cercles.

— Vous voulez dire que tout ça, c'est pour nous?

— Je crois que les emmerdements ne font que commencer... répond l'Anglais.

La décompression après une plongée à deux cents mètres dure quatre longues journées. Quand les plongeurs sortent de la chambre, le contenu du panier et même le chandelier en or de Star reposent dans la cale d'un navire de guerre français, qui patrouille les eaux au-dessus du site de l'épave, à la limite des hauts-fonds cachés.

Des réclamations pour le trésor du *Nuestra Señora de la Luz* sont déposées à la cour par l'Institut océanographique Poséidon, la Société pétrolière des Antilles et trois pays – la France, l'Angleterre et l'Espagne.

Des siècles après l'époque des grandes flottes de trésor, les trois mêmes gouvernements se disputent toujours l'or des Caraïbes.

La réclamation déposée au nom des quatre stagiaires, les adolescents qui ont découvert non pas une, mais deux épaves du XVIIᵉ siècle, est rejetée par la Commission maritime internationale.

Tad Cutter et Chris Reardon ne présentent aucune réclamation.

CHAPITRE DIX-NEUF

Kaz frappe à la porte de la maisonnette située au centre du village de Côte Saint-Luc.

L'Anglais ouvre et fait entrer les quatre stagiaires.

— J'ai entendu dire que vous partiez demain, dit-il.

— L'institut Poséidon nous a officiellement invités à rentrer chez nous, lance Star en faisant un large sourire. Gallagher a finalement tourné le dos à la caméra assez longtemps pour nous renvoyer.

— Ouais, dit Dante avec amertume, pour embaucher des avocats et essayer de prendre notre milliard de dollars.

— Ah, l'argent, fait l'Anglais en haussant les épaules pour signifier son mépris. Vous êtes mieux sans argent. Ça n'amène que des ennuis.

— Et des jets privés, ajoute Dante avec émotion.

— Deux personnes ont perdu la vie, lui rappelle l'Anglais. Aucun trésor ne vaut ça.

— Il le sait, répond Kaz avec gentillesse. Il veut seulement bouder. C'est comme une thérapie.

— On vous a apporté un cadeau de départ, annonce Adriana.

L'Anglais jette un regard désapprobateur sur l'énorme sac à provisions qu'Adriana et Star transportent.

— Alors, donnez-le à quelqu'un qui part. Moi, je reste ici.

— Vous allez l'aimer, promet Adriana.

Elle déchire le sac, découvrant l'objet en bois qu'elle a trouvé enfoui avec le trésor sur le site de l'épave.

— C'est la seule chose que le gouvernement a pas saisie. J'imagine qu'ils préfèrent l'or.

L'Anglais l'examine avec très peu d'intérêt.

— C'est une sculpture, observe-t-il. Comme celle que j'ai déjà.

Il soulève l'objet et le fait tourner dans ses mains.

— C'est le corps et l'arrière-train d'un animal. Mais il manque la tête.

— Non, lance Adriana, qui danse presque, tant elle est excitée.

Elle traverse le petit salon et enlève l'autre pièce du filet de pêche qui pend à la fenêtre.

— La tête est ici.

Le guide de plongée fronce les sourcils.

— Mais c'est impossible. La tête est celle d'un oiseau, tandis que le corps est celui d'une autre bête.

— Il y a un animal mythologique avec la tête et les ailes d'un aigle, et le corps d'un lion, explique Adriana. C'est le griffon. Cet artéfact vient de l'épave d'un bateau appelé *Griffin*, ou *Griffon* en français.

Elle s'avance vers l'Anglais en tenant l'aigle devant elle. Puis elle le pose sur le dessus de la sculpture qu'il a dans les bras. Les extrémités dentelées s'ajustent parfaitement, comme deux pièces d'un casse-tête. Une moitié est délavée par le soleil, l'autre noircie par les siècles passés sous l'eau. Mais il ne fait aucun doute que l'objet a déjà été une seule et même sculpture. Maintenant, après plus de trois cents années, il est de nouveau complet.

Adriana recule pour admirer l'effet.

— C'est la figure de proue du *Griffin*. Si votre ancêtre a flotté dessus jusqu'ici, il venait donc de ce bateau.

Elle lui jette un long regard.

— Le *Griffin* était anglais, ce qui veut dire que vous l'êtes aussi. Alors, votre légende familiale, elle est vraie.

Menasce Gérard n'est pas souvent bouleversé, mais il l'est en ce moment.

— Ah, vous, les jeunes Américains... réussit-il à dire finalement.

— Je suis canadien, lui rappelle Kaz.

— Vous m'avez apporté mon histoire, poursuit l'Anglais. Je... je n'ai aucun moyen de vous rendre la pareille.

Star le regarde, l'air solennel.

— Je pense que vous l'avez déjà fait... en nous sauvant la vie à peu près un million de fois.

L'Anglais les dévisage tour à tour, comme s'il voulait graver chacun de leur visage dans sa mémoire.

— Je ne vous oublierai jamais.

Le géant reste là un moment, embarrassé. Puis il ouvre grand les bras.

Il y a de la place pour tous les quatre.

LE PÉRIL

9 septembre 1665

Samuel se réveille. Ses bras sont toujours cramponnés au morceau de la figure de proue et il a le goût râpeux du sable dans la bouche. Il se secoue et se redresse en crachant et en s'étouffant.

Je suis vivant! *se dit-il. Il ne s'attendait pas à ça.*

Il jette un œil autour de lui – une plage, des palmiers, une odeur agréable de fleurs dans une brise tropicale.

Une île.

Le capitaine Blade avait raison sur un point, *se dit-il.* Je suis chanceux.

Il se met debout, tremblant de faim et de soif, et aperçoit un village tout juste à côté de la plage. Il peut sentir une odeur de cuisson. Des enfants jouent entre les huttes.

Plusieurs personnes s'avancent vers lui. Elles ressemblent aux indigènes que Samuel a vus sur la côte, près de Portebello. Elles arrivent près de lui, s'exclament en le regardant, lui apportent de l'eau.

— Je suis anglais, *tente-t-il d'expliquer en se montrant du doigt.* Anglais.

Ils ne comprennent pas, et lui ne saisit pas le sens de leurs étranges paroles. Mais le message de bienvenue est clair. Le sentiment qui monte en lui s'apparente à de la joie.

Samuel Higgins n'a jamais pu trouver sa place où que ce soit. Mais ici, un jeune homme peut se bâtir une vie.

Fonder une famille.
Laisser un héritage.

ÉPILOGUE

À l'aéroport de la Martinique, l'appareil de radioscopie capte l'étrange objet dans le sac marin de Star. Des agents de sécurité accourent immédiatement de toutes les directions. Star et ses trois compagnons de voyage sont mis à l'écart dans la zone réglementée et on se met à fouiller le bagage.

L'agent responsable fourrage dans le sac et en sort le manche en os sculpté qui a déjà appartenu au capitaine James Blade, de la flotte de corsaires de Sa Majesté.

— J'avais complètement oublié ça! s'exclame Star.

La lumière frappe soudain l'énorme pierre incrustée au-dessus des initiales J.B.; elle se met à briller d'un vert profond. Éblouis, les stagiaires la fixent des yeux, la bouche grande ouverte. C'est la première fois qu'ils voient la pierre libérée du corail. Elle est tout à fait splendide!

Un jeune agent agite un doigt affolé en direction de la chose brillante.

— Monsieur... regardez! Une pierre précieuse!

D'un œil éteint, l'inspecteur regarde les quatre stagiaires en short, puis l'énorme pierre d'un vert criard. Il réprimande son subalterne.

— Ne sois pas ridicule. C'est impossible que ce

soit une vraie. Une émeraude de cette taille-là vaudrait deux millions de dollars!

Avec un grognement de dégoût, il jette l'artéfact dans le sac marin de Star et laisse passer les stagiaires.

— Un souvenir, de la camelote pour touristes!